LES VARIATIONS GOLDBERG

Première publication aux éditions du Seuil

© Nancy Huston, 1981
ISBN 2-7427-0182-6

Illustration de couverture :
Automate de Jaquet-Droz :
La Musicienne, 1774

NANCY HUSTON

LES VARIATIONS GOLDBERG

romance

BABEL

LES VARIATIONS GOLDBERG

Pour celui qui est mort
comme un enfant.

Vous avez exactement quatre-vingt-seize minutes.

Vous avez tout votre temps.

ARIA

Basso continuo

Maintenant c'est commencé et ça ne pourra plus s'arrêter, c'est irrémédiable, un temps s'est déclenché, a été déclenché par moi et doit être soutenu par moi pendant sa durée obligée. Je suis à la merci de ce temps désormais, je n'ai plus le choix, il faut que je le parcoure jusqu'au bout. Une heure et demie et des poussières. Ça n'a rien à voir avec une heure et demie de sommeil, ou de conversation, ou de cours magistral. Je n'ai pas le droit de me retourner pour sourire aux gens dans la salle, parmi lesquels se trouvent pourtant des êtres que j'ai aimés et que j'aime ; je ne dois penser qu'à mes doigts, et même à eux je ne dois pas vraiment penser. Sinon je sais qu'ils deviendront des bouts de chair, des boudins blancs, petits porcs frétillants, et je risquerai de m'interrompre horrifiée de les voir se rouler ainsi sur les morceaux d'ivoire.

J'ai enlevé ma montre, elle me gêne pour jouer. Mes mains doivent être tout entières au service de ce rituel : *pendant ce temps*, la contrainte de performance doit être totale. Exactement comme dans ces congrès où on me colle le casque et que pendant quatre heures je dois traduire. Ici et là, c'est l'expression de quelqu'un d'autre qui passe à travers mon corps. Ici et là, je suis l'interprète et surtout pas le créateur. Seulement, quand ce sont des mots qui entrent par mes oreilles, subissent un traitement dans mon cerveau et ressortent par ma bouche dans une autre langue, je peux hésiter, corriger, balbutier et même faire des fautes de syntaxe sans que le contenu en soit altéré. Ici, le contenu *c'est* la forme – chaque faute infléchit, gauchit un peu le sens même du message –, et donc le jugement porte sur chaque seconde. Et le pire c'est de n'avoir, tout le temps que dure l'épreuve, aucun accès à la musique elle-même. Je suis là pour en faire, les autres pour en entendre, mais la musique se déploie dans un entre-deux qui ne touche ni moi ni eux. Je ne traduis pas, j'exécute. La musique doit être exécutée, c'est-à-dire : mise à mort. Je suis le bourreau de l'immortel.

Sur une page sont disposées des taches : rondes, blanches, noires, croches, noires pointées et doubles croches. Elles ont été disposées de cette façon précise, voilà deux siècles, par un monsieur qui portait une perruque poudrée et qui avait beaucoup d'enfants. Les pages qu'il a, un jour, recouvertes de taches ont été imprimées par un éditeur, reproduites par un autre et puis par d'autres, jusqu'à ce qu'elles prennent la forme que j'ai sous les yeux en ce moment. Mes yeux enregistrent leur disposition et en envoient l'image à mon cerveau qui, à son tour, envoie des signaux aux muscles de mes épaules, de mes bras, et de mes boudins blancs, qui se mettent simultanément en branle pour accomplir ses ordres. Il y a devant moi l'instrument : de quoi ? L'instrument de musique, dit-on ; mais n'est-ce pas moi qui suis instrument de la musique ? Pour interpréter il faut comprendre, et je ne comprends rien à ce qui se passe. Quand il s'agit de mots, au moins je sais que j'ai affaire à un certain nombre d'unités, douées d'une valeur relativement stable. Je peux prévoir comment, lorsqu'elles sont combinées de telle ou telle façon – "la faim", "le Tiers Monde", "l'explosion démographique" –, elles auront tendance à susciter telle ou telle émotion, après avoir pénétré dans les oreilles des gens présents et stimulé certaines régions de leurs cerveaux à eux. Mais une note de musique, ça ne veut rien dire. Une note plus haute ? Une note plus basse ? Les deux ensemble ? Vous êtes émus maintenant ? Un peu de rythme ? Une reprise ? Ça va, vous sentez les larmes venir ?

Ici, personne ne pleure, personne ne pleurera. La musique de chambre n'a pas été faite pour ça. Les gens s'assemblent, plus ou moins sur leur trente et un, pour assister au déroulement d'un rituel. Corrida en *sol* majeur. Mais qu'espèrent-ils y ressentir ? Et qu'est-ce que j'y ressens ?

Quant à moi, rien. C'est même la condition. A mesure que j'apprends un morceau de musique, je fais de lui un objet autre. Un objet tactile, avec des formes qui sont à saisir avec les mains. A la fin, ce n'est plus du tout un objet d'écoute ; mes oreilles ne servent plus qu'à critiquer la danse des boudins blancs. Le sentir a été extirpé par le savoir.

Le clavecin, ça, en revanche, je me souviens d'avoir ressenti quelque chose. Au début, c'était le coup de foudre. J'avais treize ans et je pataugeais au piano. C'est un instrument ignoble. Il s'appelle du reste non pas le piano mais le pianoforte. Le doux-fort. Doucement, et fortement. *Crescendo. Diminuendo.* Puis très très très fort : *fortissimo.* Puis endormir l'assistance pendant un temps avec une dynamique moyenne, le *mezzo piano* ou le *mezzo forte.* Et les réveiller brutalement avec un violent *sforzando.* Les mener par le bout du nez à travers la gamme d'intensités : sentez ceci, sentez cela, vous comprenez ? c'est comme un homme qui hurle ! c'est comme un oiseau qui chante ! c'est comme la mer qui vous berce et vous emmène au pays des merveilles ! c'est comme, c'est comme, c'est comme.

Avec le clavecin, il n'y a pas de "c'est comme". Le clavecin, c'est comme *ça.* Ou plutôt, quand je l'ai entendu, par hasard, pour la première fois : *c'est ça.* Le clavecin ne fait pas dire des choses à la musique, il laisse dire la musique. Le clavecin n'a pas de marteaux ; il n'a que des étouffoirs, et ceux-ci sont recouverts de draps. Au lit, dans ma chambre, à côté de celle de mes parents, je me réveillais la nuit. Le père hurlait, la mère pleurait ou inversement ; la mère hurlait, le père pleurait. Je restais tapie sous les draps, ahurie. Ensuite, *diminuendo* jusqu'aux sanglots, jusqu'aux mots bas de la réconciliation, jusqu'au silence. Voilà de l'émotion. Voilà le piano-forte. C'est ignoble. Avec le clavecin, tout est question de registres. Si je décide que la reprise se fera sous forme d'écho, je tire un jeu et tout baisse en même temps. Je *contrôle* l'accouplement. Je ne peux pas faire chanter l'instrument en usant de la violence. Nous sommes d'accord. Nous sommes accordés, au moins là-dessus.

Une fois j'ai eu la vision d'un instrument idéal. Une sorte de rêve éveillé. Je suis entrée dans une grande pièce vide et silencieuse, et il était là. Il ressemblait à un clavecin sauf qu'il était parfaitement carré. Le bois noir reluisait. Le clavier semblait m'inviter à le toucher. Je me suis assise sur le tabouret dans un état d'anticipation que je n'ai jamais connu dans la vie réelle. A la fois curieuse et parfaitement calme. J'ai appuyé sur le *mi* du milieu. Un *mi* de cristal s'est produit, comme si je venais de souffler sur un verre de Dionysos. Il est resté quelque temps suspendu dans l'air, je l'ai laissé s'évanouir, et de nouveau j'ai appuyé sur le *mi*, enchantée. Ensuite, sur le *mi* de l'octave au-dessus. Mais... il n'était pas plus aigu que le premier. Il était strictement identique. La *même* perfection : pas une autre mais la même. Je ne respirais presque plus. J'ai touché le *sol* dièse ainsi que le *si* entre les *mi* : c'étaient également des *mi*. Egalement – à égalité –, oui. Tout l'instrument était accordé à ce même son, toutes les cordes avaient exactement la même longueur ; où je plaçais la main, le seul *mi* surgissait. Dans un ravissement indescriptible, j'ai nencé à faire des gammes de *mi* : très rapidement, toutes les gammes des clés majeures et ensuite toutes celles des deux mineures, que mes doigts possèdent depuis trente ans, et ce n'était pas pareil, c'était pareil, c'était tout pareil. Enfin, j'ai décidé de prendre ma revanche sur les compositeurs du XIXe siècle dont on m'avait forcée à apprendre les sonates grandiloquentes et insipides : je les ai joués, l'un après l'autre, sur cet instrument sublime, qui a ramassé toutes leurs pauvres passions en un seul point. Mes doigts volaient sur le clavier dans une véritable orgie de pureté, une orgie de rigueur.

Mais ce n'est pas du tout ça, ici. Ici j'ai un supplice à endurer. Le public, même très privé, me guette. Et le clavecin, je sais très bien, au fond, de quoi c'est l'instrument. De torture. C'est une roue à laquelle je suis attachée. Est-ce que je parviendrai à soutenir cette tension pendant une heure et demie ? Voilà ce qu'ils se demandent en se taisant ou en se mouchant, ou en se croisant et se décroisant les jambes. Il y a un corps humain, vivant, présent, faillible, qui s'est mis en face de quelques pages de papier à musique. Le tout est de savoir si le corps s'égarera du chemin tracé par les pages. Car cette musique est transcendante : elle a existé avant ma naissance, elle subsistera après ma mort. Me voilà, aujourd'hui – et volontairement –, aux prises avec elle. Mais elle est tout autant ma victime à moi. Parce que, à "elle", ce n'est justement pas ces pages recouvertes de petites taches noires. La vraie musique dépend de moi pour exister ici. Je peux l'esquinter, je peux l'ébrécher, je peux la fracasser… et je ne le veux pas. Ainsi, nous luttons *ensemble*, dans la bataille la plus délicate du monde. Cette combinaison particulière de sons, c'est un immense lustre fragile qui tinte sous mes doigts : si je déroge ne serait-ce qu'une fraction de seconde, j'en casse un morceau ; si je ralentis intempestivement, l'éclat ternit. Je porte le lustre, et ce n'est pas son poids qui rend le fardeau si terrible, c'est son absence de poids, son caractère absolument ténu. Car je le porte non pas à travers l'espace mais à travers le temps.

La musique, est-ce que c'est pour eux un "passe"-temps ?

Est-ce que c'est pour eux une "perte" de temps ?

Et est-ce qu'ils se rendent compte qu'ils vieillissent en m'écoutant ?

VARIATIO I

Ombrage
Suivre. D'à côté. D'en dehors, encore une fois.
Comme d'habitude. Aider les autres petites filles à
s'habiller parce que je ne suis pas assez mignonne
pour jouer une marguerite. "Elle est si habile de
ses mains, Adrienne, elle sait si bien coudre déjà."
Coudre, oui, les costumes des autres, et faire des
boucles de leurs cheveux blonds en y glissant des
rubans, et peu importe si j'ai envie de danser, moi.
Effectivement, je n'en ai plus envie. Mais la musique, ils ne pourront jamais me la voler. Même si je
ne peux m'y livrer qu'en secret, presque en cachette.
La musique, mon plaisir solitaire. Je n'aurai jamais
les nerfs assez solides pour la donner en spectacle.
Même ce soir, je suis plus nerveuse que Liliane.
Ce sont mes mains qui tremblent et non les siennes.
Affolées – et pourtant elles n'ont qu'une partici-
pation minimale à ce concert… même si elles connaissent les *Variations* dans leurs moindres détails,
même si elles ont caressé jusqu'aux endroits les
plus enfouis, les plus secrets du corps de cette
musique.

Mon cœur bat à se rompre, tandis que l'artiste demeure sereine. Elle m'a donné des instructions toutes simples : de manière générale, il faut tourner une mesure avant la fin de la page pendant les mouvements lents, et deux mesures avant pendant les mouvements rapides. Mais les reprises – ah ! les reprises. Madame tient beaucoup à sa spontanéité. Elle ne veut pas décider à l'avance, pour toutes les variations, lesquelles seront reprises et lesquelles ne le seront pas. Elle ne veut même pas me prévenir (puisque chaque variation est divisée en deux) si la première moitié sera reprise et non la seconde ou *vice versa*. Ainsi, je suis obligée de la *regarder*, pour voir si oui ou non elle hoche la tête au moment critique, et ensuite de me précipiter : lever les fesses de mon siège, tendre le bras gauche *par-dessus* la partition (et non pas devant elle), attraper juste le petit coin en haut de la page de droite et le ramener vers moi d'un geste à la fois *prestissimo* et silencieux. Si le papier fait du bruit, ce sera de ma faute ; j'aurai gâché la musique… Mais ce n'est pas là le plus grave. Qu'arriverait-il si j'attrapais par erreur *deux pages* au lieu d'une seule ? Bien sûr, Liliane connaît suffisamment bien la pièce pour ne pas cesser de jouer tout de suite. Mais après, il faudrait rectifier, et tout le monde verrait mon embarras. Tout le monde saurait que c'est moi qui ai commis la gaffe. Tout le monde croirait qu'il s'agit d'un acte manqué, sabotage inconscient mais certainement voulu, destiné à rendre ridicule une femme dont je suis jalouse.

Mais il n'y a aucune raison que cela se produise ; nous avons répété des dizaines de fois ensemble et cela ne s'est jamais produit ; il vaut donc mieux ne pas provoquer le malheur en y pensant. Ce qui pourrait très bien se produire, en revanche, c'est que je m'égare. Il suffirait d'un instant d'inattention de ma part pour que les doigts de Liliane continuent sans moi et qu'elle arrive à la fin de la page, alors que je cherche dans la panique à la rattraper, à faire coïncider ce que j'entends de mes oreilles et ce que je vois de mes yeux. Ou bien, au contraire, je pourrais me laisser emporter par la beauté de la musique, et ne plus faire attention à son déroulement réel, mais l'imaginer en quelque sorte accélérée et tourner trop tôt la page. Liliane hocherait la tête pour me dire : "Pas encore ! pas encore !" ou bien : "Vas-y ! vas-y !" et je serais là comme une imbécile à essayer de revenir sur terre et de voir où elle en est.

Donc. Il faut que je suive ; encore plus qu'elle. Son corps est le lieu de passage miraculeux de cette chose qui s'appelle musique. Elle n'a qu'à se laisser traverser par elle, à se laisser porter par la vague, et moi je suis une espèce de bestiole sautillant à ses côtés : et hop ! en avant, maintenant et pas plus tard, et hop ! en arrière pour la reprise, et cetera. Toujours suivre. Toujours à côté. Les artistes ont besoin de ces créatures inférieures. Comme les sculpteurs grecs et romains qui sont devenus célèbres parce qu'ils se servaient de leurs maîtresses courtisanes comme modèles pour leurs Vénus. Bon, je ne suis pas un modèle. Mais n'était-ce pas un peu la même chose quand je travaillais pour Bernald ? Encore les mains habiles d'Adrienne. Lui avait des idées, et moi c'était la mise en forme. Lui, son esprit allait danser sur la scène publique, et moi je l'habillais un peu, je le coiffais, j'y mettais des rubans de couleur, pour que ça soit très joli et que ça plaise à tout le monde. Je tapais ses manuscrits à la perfection, vingt-cinq lignes soixante-cinq signes par page, ou bien trente lignes soixante signes, selon les spécifications de l'éditeur, et ensemble nous rendions tout cela propret et beau, et quand c'était publié seul le nom de Bernald figurait sur la couverture.

C'est normal. Je ne suis pas une artiste. J'adorais ce qu'écrivait Bernald, comme j'adore ce qu'écrit Bach. Etre devant le clavier d'une machine à écrire ou devant le clavier d'un piano, pour moi c'est la même chose. Je n'ai rien à inventer ; peut-être qu'au fond je n'ai rien à dire. Mais ce n'est pas pour ça que je ne comprends rien à ce qui s'y passe. Au contraire, je comprends tout, et parfois mieux que les "artistes". Quelqu'un comme Serino, par exemple – il est là ce soir : ça saute aux yeux qu'il n'a de vie que dans ou par rapport à sa musique : c'est une écorce à deux poumons, un *ersatz* d'être humain. Moi, *parce que* j'ai éprouvé l'angoisse ou le déchirement, je peux apprécier sa musique, mais ses émotions à lui s'épuisent entre les quatre murs de la pièce où il compose. Alors pourquoi la production d'une œuvre d'art vaut tellement plus que sa réception ? Les artistes sont égoïstes et étriqués, du moins pour la plupart. Regarde Liliane, je suis sûre qu'elle

23

n'écoute même pas ce qu'elle joue : ses doigts vont machinalement d'une note à l'autre. Mais moi, *j'aime* ce qu'elle est en train de jouer et j'en saisis chaque nuance, chaque modulation, chaque soupir. A mon avis elle joue un peu trop rigidement : elle a décidé une fois pour toutes que Bach était un anti-romantique, qu'il était pur comme les mathématiques, et que c'était le trahir que d'immiscer dans sa musique des sentiments dont il n'aurait pas voulu. Pour chaque variation elle choisit un *tempo* et elle le tient du début jusqu'à la fin : jamais le moindre *rubato* d'attendrissement, jamais de fioriture imprévue ; le battement de chaque trille est calculé pour retomber exactement sur la mesure ; et voilà, on est servi. Mais, enfin, elle joue très bien.

Moi, devant un clavier comme devant l'autre, j'ai des tentations mortelles. Je connais les deux machines à fond, mais c'est justement ce qui me pousse à commettre des fautes. Je me laisse fasciner par la possibilité de quitter l'ordre prescrit. Pour la frappe, ce n'est pas dramatique ; je me contente de relire mes coquilles pour voir si elles ne recèlent pas des lapsus amusants. Souvent je tape par exemple "mère" au lieu de "père" parce que le *m* et le *p* sont côte à côte. Mais pour le piano, rien à faire : ce n'est pas possible de revenir en arrière pour effacer la bourde ; la musique est incorrigible. Soit on joue la *Sonate Appassionata* de Beethoven, soit on ne la joue pas. Pendant des mois et des mois on l'apprend, on inscrit tous les doigtés sur la partition, on la barbouille de chiffres et de points d'exclamation au crayon noir, on répète mille fois la gamme qui descend en *accelerando* jusqu'à ce qu'elle ressemble vraiment à une cascade ; bref, on maîtrise petit à petit, on domine chaque partie du morceau et les transitions entre elles, l'articulation – et puis : pas moyen de la jouer. Il y aura toujours un doigt qui décidera de me narguer, de s'amuser à passer par-dessus le pouce un peu maladroitement, et blaf. On ne peut pas faire comme si de rien n'était. Beethoven, même sourd, aurait grincé des dents.

Alors je reste à côté ; je suivrai et désirerai et raterai comme je l'ai toujours fait. Oui je te suis, la belle Liliane, comme d'autres t'ont suivie. Chaque mouvement de ta tête est pour moi une commande à laquelle je ne saurais me soustraire. Heureusement, tu n'es pas de ceux qui secouent la tête à droite et à gauche dans les paroxysmes du plaisir musical. Au contraire, tu es aussi contrôlée que ta façon de jouer Bach. Mises à part tes belles mains blanches, ton corps est immobile. Tes pieds sont posés à plat sur le sol devant ta chaise : le clavecin n'a même pas de pédales qui pourraient te faire écarter les jambes un tant soit peu. Ton dos est droit comme on m'a toujours dit qu'il fallait le tenir, au cours de dactylo comme au cours de piano. Ton ventre est rentré, c'est une véritable armature de muscles. Le corset intégré.

Mais si, tiens, tu bouges. Je vois qu'avec les dents, tu mords et mâches la chair à la commissure des lèvres. Ces lèvres pleines et pâles auraient-elles donc une sensibilité, pour que tu sois ainsi obligée de les meurtrir ? Je ne l'aurais jamais cru. Je ne les ai jamais vues déployées dans un rire, tout au plus une grimace ironique. Ah ! Liliane, je ne te pardonne pas. Que tu meurtrisses ta propre sensibilité, je m'en moque, mais pourquoi celle de Bernald aussi ? Je ne te le pardonnerai jamais. Tu as détruit la seule chose qui donnait un sens à ma vie, même si pour toi le travail de "secrétaire" est dégradant. J'avais plus de joie à taper ses pages qu'à tourner les tiennes, Liliane. Comment l'as-tu fait ? Que lui as-tu dit ? Quelle menace as-tu proférée ? Il faut que je me retienne, que je me rive à la partition ; sinon je pourrais me mettre à crier devant tout le monde. Mais est-ce que tu te rends compte ? Tu as enlevé à cette ville, à cette nation, à cette langue, une de ses voix les plus fortes et les plus originales. Et ensuite – je ne sais s'il s'agit de sans-gêne ou de sang-froid – tu oses convoquer toutes ses connaissances pour étaler devant elles ton talent musical. Et j'aurai l'honneur d'être assise juste à côté de la vedette – enfin, juste derrière elle, à peine cachée par sa longue robe noire ; le privilège de sauter comme un *jack-in-the-box* chaque fois qu'elle hoche la tête

VARIATIO II

Vents
semblent être des *tempi* plutôt lents mais enfin ce
n'est pas plus mal, comme ça on entend vraiment
chaque note, c'est rare. On est tellement habitué
maintenant à la virtuosité qu'on joue Bach à toute
vitesse comme si c'était du Chopin ou du Liszt, et
les pianistes bousillent la polyphonie en appuyant
sur la ligne soprano comme si c'était une mélodie
alors que ce qu'il faudrait c'est parvenir à écouter
toutes les voix dans leur interdépendance. Ça s'entend qu'elle les a travaillées séparément d'ailleurs,
on ne perd jamais le fil de ce qui se passe dans la
main gauche, ni même dans cette voix du milieu
qui passe constamment d'une main à l'autre, on
l'entend aussi clairement que si Lili avait une troi-
sième main qui lui sortait de la poitrine, et c'est
pas rendu complètement boueux par une pédale.
Quel scandale, quand même, les gens qui jouent
Bach au piano, d'abord les harmonies étaient pas
du tout les mêmes à l'époque où il écrivait, elles
reposaient sur un tempérament légèrement inégal ;
c'est pourquoi il y a des accords qui produisent de

la merde sur le piano où tous les intervalles sont faux, c'est-à-dire égaux. De toute façon, quelqu'un qui jouerait un morceau comme les *Variations Goldberg* au piano ne pourrait être qu'un vantard puisque c'est écrit pour deux claviers et forcément les doigts s'emmêlent à chaque fois qu'il y a des gammes et des arpèges croisés. Alors on peut évidemment décider de s'imposer cette difficulté technique supplémentaire pour ensuite la maîtriser avec brio, mais c'est pas comme si Bach en avait pas déjà mis suffisamment comme ça. Il y a même quelques pièces qui illustrent de façon systématique telle ou telle difficulté – trilles avec extension simultanée des autres doigts, trémolos d'accords à mains alternées –, peut-être pour mettre à l'épreuve les talents du petit Goldberg ; en tout cas, Bach c'était un pédagogue génial et je trouve que Lili a appris très consciencieusement ses leçons.

Mais ça ne fait rien parce que personne n'écoute plus la musique de toute façon, c'est pourquoi il faut se mettre au premier rang si on ne veut pas être dérangé par les autres qui se curent le nez ou se lissent la jupe ou chuchotent à leur conjoint : "Est-ce que tu as bien fermé la porte à clé ?" Encore une chance qu'il n'y ait pas de mômes dans la salle pour se mettre à brailler au milieu du passage le plus délicat. Franchement, quelle corvée les gosses, je comprends pas que les gens puissent continuer à en faire de nos jours alors que c'est bien connu que ça suffit largement comme ça pour notre planète. J'espère que Myrna est vraiment d'accord avec

moi là-dessus et qu'elle ne se laissera pas embo-
biner par tout ce que peuvent raconter les bonnes
femmes sur les joies de l'accouchement & Cie. Elle
commence à dire que ça la fait chier de prendre la
pilule, que ça fait six ans qu'elle la prend, qu'elle
se met à l'oublier de temps en temps, et que c'est
dur à avaler ces produits chimiques tous les jours ;
et pourquoi je me mettrais pas moi à la recherche
d'une contraception pour hommes ? Elle a entendu
parler de slips chauffants que les mecs peuvent
porter pour se faire cuire les couilles, franchement
comment veut-elle qu'on bande avec des trucs
comme ça et si on veut baiser le matin il faudrait
que je mette le slip d'abord et pour combien de
temps est-ce que c'est comme un œuf à la coque ou
un œuf mollet non mais ça va pas non ? S'agit pas
qu'elle tombe enceinte, sérieusement, je me vois
pas en train de nettoyer le bordel qu'un bébé aurait
mis dans mes papiers pendant les cinq minutes
que j'aurais quitté mon bureau, et puis je me vois
mal aller seul cinq soirs par semaine au concert si
Myrna devait rester chez nous avec le gosse. Il est
vrai que le vieux Jean-Sébastien en a eu une ribam-
belle, douze ou quatorze ou un chiffre faramineux
comme ça, mais je suis sûr que ça ne l'incitait qu'à
s'enfermer davantage pour écrire sa musique donc
c'était finalement une bonne chose. Après tout, les
œuvres de Bach sont immortelles, ses enfants non.
Cette pièce de café-théâtre qu'on a vue, avec la
femme de Bach enceinte jusqu'aux dents qui essaie
de travailler son violoncelle et qui est constamment

interrompue par le petit Karl-Friedrich ou la petite Anna-Magdalena ou je sais pas quoi, c'était assez drôle. En tout cas ça c'est fini maintenant et on voit des femmes comme Lili qui arrivent très bien à travailler leur instrument et à avoir une vie affective très riche par ailleurs, elle doit pas se plaindre même si elle a pas l'air tout à fait heureuse, elle a jamais eu l'air heureuse, toujours un peu sombre mais enfin ça doit aller mieux puisqu'elle donne son premier concert depuis des années et qu'elle vit avec Bernald Thorer, c'est pas rien. C'est même plutôt le contraire de ce qui se passe dans le schéma traditionnel, ce qui s'est passé quand ils se sont mis ensemble, donc elle doit pas se plaindre.

Alors qu'est-ce que je pourrais dire dans mon compte rendu pour *le Temps*, c'est toujours un peu dérisoire de faire un article sur un concert unique qui a déjà eu lieu et que personne pourra aller écouter, qui a pas non plus été enregistré, mais enfin, même si c'est dérisoire, c'est une vieille copine Lili et je peux bien lui rendre ce service. Je me demande si elle a vraiment l'intention de commencer une carrière comme claveciniste maintenant, au fond je le crois pas, je crois qu'elle préfère le genre de vie qu'elle a toujours menée, cette sorte de dilettantisme délicat, rendu possible – ô ironie ! – par son boulot à l'Unesco : un peu de théâtre, un peu de danse, quelques poèmes et la musique ; tout ce qu'elle fait elle le fait assez bien mais avec une sorte de distance, un manque de conviction, comme si elle détruisait au fur et à mesure tout ce qu'elle avait construit. Ça m'a toujours rappelé cette scène de *Cinq Pièces faciles* où Jack Nicholson retourne à sa maison familiale et s'assied devant le piano à la grande satisfaction de sa sœur qui pense qu'enfin il est revenu dans le droit chemin, il joue un petit adagio de Mozart et elle, elle a les larmes qui dégoulinent sur le visage, tellement elle est soulagée, après quoi il lui dit sèchement qu'il a absolument rien ressenti, que ça veut rien dire pour lui de faire ça, rien du tout, et elle est horripilée par sa froideur. Elle est un peu comme ça Lili, un peu froide, pas à ce point bien sûr, mais en tout cas je trouve que Bach lui convient vraiment bien, je pourrais intituler l'article "Trente pièces difficiles", non je crois qu'on comprendrait pas l'astuce, mais enfin qu'est-ce qu'on peut dire des *Variations Goldberg* qui sont si bien connues déjà ? Je pourrais l'axer sur l'idée de musique de chambre puisqu'elle a fait exprès de nous inviter effectivement dans sa chambre à elle, là où il y a son clavecin et où elle doit travailler tous les jours, c'est très agréable d'ailleurs, on sent sa personnalité, il y a une sorte de calme lugubre, avec ce gros couvre-lit couleur pompes funèbres, violacé, je me demande s'ils couchent ensemble dans ce lit-là, elle et Bernald Thorer, on a du mal à l'imaginer, tellement ils semblent toujours dignes et réservés et un peu tristes, qu'est-ce que ça donne quand ils se mettent à folâtrer, on imagine pas. Mais ils ont l'air de s'aimer beaucoup je dois dire, pour lui en tout cas c'est évident, le pauvre, enfin il a pas l'air de se porter plus mal qu'avant, alors qui sait ?

Concert de chambre dans une chambre donc, pour recapturer l'esprit d'intimité qu'il y avait au XVIIIe siècle quand la musique de Bach était écrite. Quelque chose comme ça. Il pourrait même y avoir un développement un peu social, du genre : de nos jours, bombardés par les musiques bêtifiantes de la radio et des haut-parleurs, inondés par les disques de toutes sortes, alléchés par les grands spectacles des orchestres étrangers et de l'Opéra, étourdis par les rythmes assourdissants du punk et du disco, que savons-nous des plaisirs subtils que goûtaient les mélomanes d'antan, lorsqu'ils se recueillaient entre amis pour passer une soirée à apprécier de la grande musique ? Liliane Kulainn nous a fait redécouvrir ce plaisir-là hier soir. Oui, c'est pas mal. Et, ensuite, enchaîner sur un historique rapide des *Variations*, puis dire à quel point Lili a été fidèle en tous points au maître, puis peut-être faire un topo sur le clavecin de nos jours, sa renaissance, et cetera, puis ça ira comme ça.

Elle écoute pas du tout, Myrna, elle a l'air d'être à mille lieues d'ici, comme parfois quand je lui parle et je me rends compte tout d'un coup que ça fait dix minutes qu'elle est partie… Pourtant, la musique classique, je sais qu'elle aime ça ; elle avait très envie de venir ici ce soir. Evidemment elle aurait préféré ne pas se mettre au premier rang, elle est tellement timide que ça lui donne l'impression d'être elle-même en scène, mais enfin si je veux parler des mains de l'instrumentiste il faut bien que je les voie, non ? Elles sont bien, ses mains, d'ailleurs, très longues et fortes, et elle les tient tout près des touches comme il le faut pour le clavecin, c'est pas la peine d'attaquer d'en haut comme pour le piano, ça ne donne qu'une sorte de bruit sourd quand la touche s'enfonce dans le bois. La virtuosité, au lieu d'être dans l'extravagance, est tout entière dans la nuance ; c'est pas mal comme phrase ça non plus

VARIATIO III

Ecarlate
si je garde les cuisses très serrées, ça ne sortira pas,
j'ai lu quelque part qu'il y a des pays où les ado-
lescentes apprennent à retenir leur flux menstruel
et à le lâcher seulement quand elles font pipi. Tu
n'aurais pas dû porter une jupe claire. Petite sotte.
Mais Jean aime bien cette robe, nous l'avons achetée ensemble l'été dernier et je voulais être belle
pour lui ce soir. Est-ce qu'il s'est soucié d'être beau
pour toi ? Regarde comme il a pris du ventre, tu
crois que ça le préoccupe ? Moi, si je prenais ne
serait-ce que deux cents grammes, je m'arrêterais
complètement de manger. Tu es bien partie pour le
jeûne alors, avec ces pommes dauphine que tu t'es
envoyées à midi, et le gâteau tout à l'heure. D'ailleurs ça te serre un peu à la taille cette robe, non ?
Je suis peut-être enceinte. Bien sûr, ça doit être pour
ça que tu as tes règles en ce moment. Et la pilule,
c'est bien connu, c'est fait pour rendre les femmes
enceintes. Non, tu n'es pas grosse comme une vache,
seulement grosse comme une bonne femme. Tu
seras vraiment grosse un jour, vraiment avachie,

c'est sûr. Jean gardera cet embonpoint de la trentaine et puis c'est tout, ça ne changera pas. Mais les
bonnes femmes, ça s'affaisse.

Elle ne s'affaisse pas, Liliane. Je ne l'ai jamais
vue aussi belle que ce soir, tout en noir, avec sa peau
blanche, on la dirait sortie d'un tableau. Il y a toujours des femmes au clavecin dans les tableaux,
d'ailleurs, jamais des hommes. On apprenait aux
jeunes-filles-comme-il-faut à "toucher du clavecin",
c'était considéré comme un instrument bien adapté
à leurs charmes fragiles. On le "touchait" plutôt
qu'on ne le jouait. Que faisaient les petits garçons
pendant que les petites filles apprenaient la cou-
ture et le clavecin ? Ils faisaient la chasse au fau-
con ? Je ne sais pas. Ce n'est pas un examen ; je ne
sais pas de quelle époque ça date. Il a été inventé
quand le clavecin ? J'ai dû le savoir à un moment
donné mais je l'ai oublié. Tu oublies tout. Par
exemple, Bach, il a vécu dans quel siècle ? Allez,
je ne te demande pas ses dates de naissance et de
mort, simplement le siècle. C'était à un moment
où l'Eglise était très puissante en Europe, puisque
toutes ses œuvres ont été commandées par l'Eglise
– en Europe, qu'est-ce que ça veut dire ? dans quel
pays ? l'Allemagne ? l'Autriche ? –, donc ça devait
être vers le XVIe ou le XVIIe siècle. Je m'en fous,
d'ailleurs, ce n'est pas comme ça que j'aime la musique. Tant pis si on a ri l'autre jour parce que j'ai
parlé du Festival de Beirut. Pour moi la musique
ne relève pas du savoir, mais de la rêverie. Je pourrais entendre cinquante fois une symphonie de

Mozart sans jamais savoir la clé dans laquelle elle est écrite, alors que Jean se précipitera immédiatement sur la pochette du disque : "Chouette ! L'*ut* mineur – ou n'importe quoi –, qui l'a enregistrée ? quel chef d'orchestre ? quel jour de quelle année ? Ah ! et penser que Mozart venait de rentrer à Vienne et qu'il était fauché, affaibli par la maladie, et qu'il a eu le courage d'écrire *ça* !" Et je suis obligée d'y penser, et de donner mon avis sur l'orchestre, je dis n'importe quoi, mais j'ai tellement peur de dire des sottises que je cesse d'écouter la musique. Ou bien tu prends ton air distrait, comme si la musique te plongeait dans une méditation insondable, et tu ne réponds pas du tout à la question. Je me sens si crispée, si menacée. Voilà ce que c'est de vivre avec un mélomane. Mais est-ce qu'il aime réellement la musique, Jean ? Ça y est, j'ai senti un peu de sang sortir. Merde. Tu aurais pu le changer juste avant, non ? Je ne sais pas où sont les cabinets dans cette maison. C'est pas la catastrophe, une goutte de sang sur une robe de femme. A douze ans, oui, ça méritait que tu rentres chez toi, joues écarlates, au milieu de la journée d'école parce que tu avais taché ton pantalon… mais les gens pourraient s'habituer, non ? Depuis les milliers d'années que ça arrive tous les mois à la moitié de l'humanité, et on réagit toujours comme si c'était anormal. Sur les feuilles pour ma courbe de température c'est marqué : "jours de maladie". Franchement. Comme la grossesse qui est prise en charge par l'"assurance maladie", alors que sans elle il n'y aurait pas de gens du tout, ni bien portants ni malades. S'ils veulent se choquer du sang qui coule, ils pourraient faire un peu plus attention aux champs de bataille, non ? Mais ça c'est pas maladif, ça c'est le beau-sang-rouge-de-la-patrie, ça ils veulent bien en voir, ils en redemandent même, et s'il n'y en a pas assez dans les journaux et aux informations télévisées, ils en mettent davantage dans les romans et les films ; ce sang-là, ils en avaleraient des litres tous les jours !

... *Music for a while*, il y a un morceau de Purcell qui s'appelle comme ça, *Music for a while*, "la musique pendant un moment", je crois que c'est le morceau que je préfère au monde, je ne sais pas de quoi ça parle, je ne comprends pas très bien l'anglais, mais c'est très lent et très poignant et ça dit qu'on a le droit de s'occuper simplement de la musique de temps en temps, pas tout le temps mais "pendant un moment", qu'on n'est pas obligé de penser sans arrêt aux guerres et aux disputes conjugales et aux problèmes de fric et autres, mais qu'on peut simplement fermer les yeux et ouvrir les oreilles et jouir de la musique pendant un moment. C'est très beau ce mot anglais *while* parce que c'est indéfini comme durée : ça veut dire "un certain temps", c'est-à-dire justement un temps *incertain*, et ça me donne envie de pleurer parce que ce sont les seuls moments, pendant la musique et pendant l'amour, où le temps est justement suspendu, où il n'est plus compté, où il s'écoule et je suis prise tout entière par ce qui m'arrive pendant son écoulement, la jouissance musicale ou la jouissance amoureuse –

quelle blague mais non tu plaisantes ou quoi ? "Prise tout entière", de qui tu parles ? Il suffit que les voisins de dessus allument la radio pour que tu n'arrives plus du tout à t'intéresser au corps de Jean. Et s'il y a le moindre risque de jouissance qui pointe à l'horizon, tu penses tout de suite aux courses qu'il faudra faire demain après le travail – est-ce qu'il vaut mieux acheter deux cents ou trois cents grammes de viande hachée, ça dépend de la taille des tomates –, tout, plutôt que de sombrer dans ce plaisir qui te fait vibrer les tripes et qui t'arracherait trente secondes à ton train-train de pensées. Quant à *Music for a while*, parlons-en : à quoi as-tu pensé depuis le début de ce concert ? A tes tampons imbibés ! Est-ce que tu sais seulement quelle variation elle est en train de jouer en ce moment ? Et tu prétends que *Goldberg* est l'une des musiques qui te plaisent le plus ! Tu penses bien que Jean, lui, aura compté.

Bon, qu'il le fasse pour moi. Je n'en ai pas envie. S'il arrive à faire trente-six choses en même temps, tant mieux pour lui. C'est comme conduire la voiture, il peut naviguer à travers des embouteillages et parler et fumer une cigarette et siffler *Leporello* entre les dents... bon, et moi non, c'est tout ! moi c'est : embrayer, passer la vitesse, appuyer sur l'accélérateur, regarder dans le rétroviseur, mettre le clignotant : tout ce qui est pour lui "conduire" se subdivise pour moi en une multitude d'actions séparées, et c'est tout juste si j'arrive à le faire quand il est là pour me surveiller, c'est incroyable, j'ai mon permis depuis plus longtemps que lui et pourtant c'est lui qui me surveille et non l'inverse. Son manque de confiance en moi, ça veut dire que je ne sais pas "me conduire" dans la vie, et je deviens plus maladroite encore, je me dis qu'il suffirait d'un geste minime, quand je double un camion sur l'autoroute, pour nous tuer tous les deux. Je me laisse attirer de plus en plus par l'idée de ce geste fatal, je deviens persuadée que je vais le faire sans le vouloir, je commence à suer... Même si tout le monde sait que, statistiquement, les femmes ont moins d'accidents que les hommes, quelque chose de l'image de "la femme au volant" est là entre nous et refuse de bouger. C'est sûr que les femmes sont différentes des hommes au volant. Je me souviens d'une fois, près de l'Etoile, j'ai vu une femme chauffeur de bus qui avait essayé de passer au jaune. Le feu est devenu rouge alors qu'elle était en plein milieu du carrefour, et les voitures ont commencé à lui foncer dessus de trois directions à la fois. Un homme aurait klaxonné comme un fou en poussant des gueulantes, et naturellement les autres conducteurs auraient laissé passer son véhicule. Mais cette femme, je ne l'oublierai jamais, elle s'est tout simplement croisé les bras sur le volant et elle a posé la tête sur les bras. Le désespoir. On est tellement prêtes à renoncer, à s'avouer coupables de tout, à se fustiger –

Ça va, arrête ton char. Dès qu'il y a le moindre petit exemple tu en fais une allégorie de toute la condition féminine. Ce n'est pas parce que toi tu manques de confiance qu'il s'agit d'une carence congénitale pour tous les membres de ton sexe. Regarde Liliane, est-ce qu'elle a l'air de manquer de confiance ? Elle est parfaitement sûre de ce qu'elle joue, elle sait que c'est bien, elle sait qu'elle fait plaisir à ses amis, c'est aussi simple que ça.

Je lui ai demandé une fois si pour elle la vie avait un sens et elle m'a répondu que non, que ça voudrait dire que la vie s'acheminait dans une certaine direction, progressait par exemple de point A à point B à point C, et cetera, alors qu'elle avait toujours eu le sentiment de devoir revenir au point zéro entre chaque avancée, que rien n'était jamais définitivement acquis, et que donc la vie n'avait pas "un sens" mais "beaucoup d'azimuts". Quelque chose comme ça. "Pas tous les azimuts, mais beaucoup." Et elle a ri. J'ai apprécié qu'elle me parle comme ça, et surtout qu'elle ne trouve pas ma question sotte ; c'est le genre de question que je ne pourrais jamais poser à Jean parce que pour lui c'est précisément une question dépourvue de sens : il y a de belles choses dans la vie, ça vaut la peine de les connaître, un point c'est tout, et pourquoi tu dois toujours être avec ton nez fourré dans un journal à parcourir les horreurs du monde, pour toute l'instruction que tu en tires, franchement, toi qui n'ouvres jamais la bouche pendant une discussion politique, on dirait même que tu n'as jamais entendu parler du goulag ou de l'ayatollah, on dirait que les informations aussi, comme la musique, tu les absorbes dans une sorte de rêverie aux contours flous, comme tu absorbes la nourriture dans ton corps aux contours de plus en plus flous.

VARIATIO IV

Soupirs
paniqués en fait. Le coucher du soleil en arrivant. Ce
pourpre, le même que sur le lit de Mme Kulainn.
L'Occident, là où meurt le soleil. Entre chien et
loup, entre jour et nuit, entre chaque variation : un
hiatus. C'est le plus beau. Mais le silence est toujours redouté. Les gens ne connaissent pas. Tout
sauf ça. "Silence de mort", disent-ils. La trappe où
ils se perdraient, où s'évanouirait leur "identité".
Ils ne supportent pas. Doivent continuer à prouver
qu'ils sont quelqu'un. Avec des mots.
   Pendant nos leçons, on ne parlait presque pas.
Elle, comprend. Que la musique est bâtie sur le
silence. Un pont jeté à travers. Même pas un pont,
un filet. Troué. Ouvert sur le silence. Nous avons
travaillé une heure sur une mesure de Frescobaldi.
La première note, rejointe par la deuxième, les
deux entrelacées dans l'air, les tenir, insinuer un
arpège de la main gauche, laisser vibrer ensemble,
enlever un doigt, l'accord est transformé, détissé
petit à petit, le silence se reconstruit, redevient inté-
gral. Qu'en savent-ils des pauses, des soupirs, des

aspirations, des suspensions, de tout ce qui fait le souffle de la musique, son aire invisible ? Rien. Ils ne savent rien du rien. Ils ne veulent rien en savoir. Donnez-nous notre bruit quotidien. Remplissez. Mme Kulainn disait : Avant de commencer à jouer, vous avez besoin d'au moins une minute de silence. Sur quoi construire. Sinon ce n'est pas solide. C'est aussi ce qu'elle a appris à M. Thorer. Tout le monde est choqué. Ils ne comprennent pas. Pourquoi avoir cessé de nous gaver les oreilles ? Grands cieux ! il est devenu muet ! C'est faux bien sûr. Je sais pourquoi ce concert. Pour obliger les gens à se taire.

On les met ensemble et leur grégarité s'ébranle. Ils auraient envie, besoin, de babiller… remuer les lèvres pour dire moi je, moi je. Mais la musique les force à se contenir. Ils respectent les conventions. Ils sont en présence du grand art. Ça ne marche plus, la langue. Tout de suite après, encore, oui. C'est-à-dire après ce barbarisme qui consiste à anéantir tout ce qu'il y aura eu de silence construit en tapant dans les mains. Déjà à quatre ans ça me dégoûtait. On était à la cuisine avec ma mère en train de faire des pâtisseries, et, à la radio, un quatuor à cordes. Je me suis assise sur un tabouret et j'ai fixé le poste radio, médusée, pour ne rien voir. Cela a pris fin. Le silence était fait. Je jubilais. Et, tout d'un coup, ce fracas terrifiant a déchiré les ondes. J'ai couru vers ma mère. "Qu'est-ce qu'il y a, chérie ? – *Mais qu'est-ce que c'est ?* – Mais ce sont des applaudissements. Ça veut dire que les gens ont beaucoup aimé la musique." Je n'y ai jamais cru.

Au moins les concerts font ça, ils font taire provisoirement. Le reste du grand art non. Les livres ça compte pas, on est seul de toute façon. Le cinéma on est ensemble, mais la machine à mots fonctionne. Dès que tu enlèves ça, dès que tu les mets devant un tableau, une sculpture, une pyramide, c'est irrésistible, c'est la logorrhée. Les musées, je n'y vais plus, c'est trop grotesque. Ils viennent en groupe avec un guide : bourgeoise bavarde qui tient à être "encore utile à la société", la cinquantaine passée. Ou bien ils viennent en couple, et c'est pire. Le monsieur a acheté la brochure à l'entrée et il la lit à haute voix pour l'édification de son épouse. Ou bien le jeune type prend un air savant pour faire remarquer à sa petite amie : *"Quel bleu*, tu ne trouves pas ?" Ainsi de suite. Tout le monde. Ils parlent et ils ne voient rien. Ici, ils n'entendent rien, mais au moins ils sont obligés de la boucler. Seulement à cause des conditions du concert. Pas chez eux, bien sûr. Au lieu de donner accès au silence, au lieu de baliser le chemin qui y mène, la musique sert de bouche-trou. Elle sert de "fond". "Fond sonore." Cocon. Utérus. Bouffe. Cigarette. On ne sait pas quoi faire de ses mains alors on allume un clope. Parfois on est distrait et on en allume un deuxième en même temps, la tension n'avait pas assez chuté avec le premier. La musique c'est pareil. On ne sait pas quoi faire de sa tête, il y a comme la menace du grand vide béant, alors on allume la radio. Parfois on est tenté d'allumer encore, alors qu'il y a déjà le bruit de fond. On aurait besoin d'un fond du fond.

Ce n'est pas encore assez rempli, non, pas assez bouché. On est en voiture avec des amis et brusquement on trouve rien à dire. Vite ! la radio. Un peu de reggae. Ça nous remet ensemble. On risquait de partir chacun dans sa parano privée. Maintenant on peut taper du pied ensemble, ça montre qu'on est sur la même longueur d'onde. Aux aéroports, pareil. Il ne faudrait surtout pas sentir quelque chose. Séparations, retrouvailles, les gouffres qui peuvent s'ouvrir entre parents ou entre amants ; instants de doute, de désarroi, non, tout ça est recollé avec de la glu de Vivaldi arrangée pour saxophone et orgue électrique, filtrée par le haut-parleur arrivées/départs.

Au cinéma, pareil. Dès que le scénario présente un blanc, dès qu'il n'y a plus de dialogues, faut trouver une musique pour prendre la relève. Enflement violonesque. Papotage de percussion. N'importe quoi.

Mme Kulainn m'a raconté qu'elle était allée voir un film cochon. Il y avait une scène de chasse d'une jeune fille nue à travers la forêt. On y avait superposé une sonate pour clavecin de Scarlatti, jouée avec une violence inimitable par Sonya Feldman, qui avait été le professeur de Mme Kulainn pendant longtemps. Son nom mondialement connu a été dûment mentionné dans le générique à la fin du film. Elle a écrit au producteur pour exiger qu'il soit retiré. On l'a fait, évidemment. Mais retirer la sonate de Scarlatti ? Impensable.

Scène de chasse d'une jeune fille nue à travers la forêt... *dans le silence ?*

Il fait nuit maintenant. Des bougies partout. Ce soir, la maison ressemble à un château hanté. C'est Mme Kulainn qui l'a voulu ainsi, j'en suis certaine. Et je sais aussi pourquoi le choix des *Variations* : parce qu'elle-même est comme ça. En fragments. Ses poèmes aussi. Elle n'a jamais écrit que des poèmes. Elle m'a dit une fois qu'elle aurait voulu écrire un livre et je m'en suis étonnée. Mais c'était un livre qui aurait eu du blanc, partout où elle aurait hésité avant d'écrire. Si par exemple il lui fallait dix secondes pour écrire une ligne, alors une minute d'hésitation vaudrait six lignes de blanc. Ainsi de suite. Des pages entières seraient blanches, et comme ça les lecteurs verraient que l'inspiration de l'écrivain ne coulait jamais de source. En plus, ils pourraient écrire eux-mêmes dans les blancs tout ce qu'ils voudraient, à partir des mots qui précédaient ou à partir d'autre chose. Mme Kulainn a ri en me parlant de cela : un tel livre ne se vendrait jamais, ça va de soi. Il faut remplir. Mais dans les *Variations*, les arrêts sont autorisés. Le musicien peut changer de personnage pendant le grand soupir qui sépare chaque fragment. Mme Kulainn soupire souvent, dans la vie. Quand je jouais bien elle soupirait, et quand je jouais mal elle soupirait. Je ne l'ai jamais entendue parler cinq minutes d'affilée. Elle prononce plutôt une phrase, elle la laisse résonner comme l'accord de Frescobaldi, elle attend pour voir si l'arpège de quelqu'un d'autre ne viendra pas s'y intriquer, puis elle essaie une autre phrase. Ou bien, rien.

Je sais que c'est cela qui a captivé M. Thorer. Jamais il n'avait vu quelqu'un vivre dans une telle promiscuité avec le silence. Le fréquenter comme un ami. Le cultiver. Sa vie à lui était entièrement faite de mots. Les livres, les conférences, les émissions de radio, les interviews ; à chaque instant de sa vie il prenait la parole, on lui donnait la parole. Et M. Thorer n'était pas le pire de ceux qui vivent comme ça. Loin de là. Le public l'admirait d'autant plus qu'il avait de l'humilité. Qu'il avait une voix douce plutôt qu'une voix de stentor. Qu'il parlait en son nom propre et non pas au nom d'une théorie. Qu'il disait aimer les dialogues plus que les dogmes. Jamais on n'avait vu quelqu'un d'aussi généreux avec son intelligence.

On s'est jeté sur Bernald Thorer comme un chien affamé se jette sur un os. On l'a sucé, comme un os. On l'a cité. On l'a épié de loin dans son café préféré. On s'est emparé de son style pour le pasticher, affectueusement. Ses hypothèses étaient légères. L'hypothèse, c'est ce qui sous-tend la thèse. Ses hypothèses étaient comme la vraie musique : un filet. Lui savait qu'elles étaient suspendues en l'air. On s'en est servi pour construire des ponts et des barrages, comme on fait avec la musique aussi. On s'en est servi pour le trahir.

Pendant des années, la même chose. Pendant des années, séminaires, invitations, honneurs, consécrations de ce que savait faire cet homme avec les mots. Ce qu'il savait faire : autre chose que des plates-formes. Bernald Thorer était hors polémique. On n'avait jamais vu ça. Quand on l'attaquait, il ne se défendait même pas. Une sorte de Christ. Mais un Christ sans Vérité. Un Christ sans Père. Sans Paradis. On le portait aux nues quand même. On l'encensait. Et puis, un beau jour, le château de cartes s'est effondré.

Il est là, ce soir. Je sais qu'il écoute les silences de Mme Kulainn. Il est tout tendu vers ses silences. Je le sens.

On voudrait qu'il ait l'air ravagé, qu'il soit devenu ermite, ou, mieux encore, qu'il se soit suicidé. Cela, on aurait compris, cela se voit tous les jours, les hommes qui se tuent pour l'amour d'une femme. Silence de mort. La balle dans la tête. Le noir. Eteindre. Rideau. Mais qu'il soit là ! Parmi nous, assis, en train d'écouter. Heureux. En paix avec lui-même. Voilà ce qui est inadmissible. On donne la paix aux gens une fois qu'ils sont morts. Pas avant. Il a rompu le contrat. Il a trahi la confiance.

On croyait pouvoir compter sur lui. Et puis il a fait ça. Les grands génies, on sait que *ça* peut craquer. Aller en hôpital psychiatrique. Partir pour l'Afrique. Faire une cure de sommeil ou de lithium. Mais *ça*. S'arrêter sereinement. Il aurait au moins pu quitter Paris. Au moins le quartier. Non, rester là. Parmi nous. Le même sourire. C'est obscène.

Elle l'aime. Elle joue pour lui seul. Ils sont seuls dans cette pièce qui est leur chambre. Ils font l'amour. Ils ne parlent pas. Cela ne veut rien dire. C'est cela. Rien d'autre. Rien.

VARIATIO V

Joual

Ç'a pas de bon sens. Tout ce beau monde rassemblé, qu'est-ce qu'ils pensent qu'ils font ? Un deux trois quatre cinq, jusqu'à trente, puis le trente et un ça fera le bouclage de la boucle, puis ils vont tous s'en retourner chez eux dormir. Tout juste s'ils roupillent pas déjà assis comme ça là sur leurs chaises. Sûr que c'est pour ça que les chaises sont inconfortables en maudit, pour qu'on puisse pas s'envoler au beau pays des rêves. C'est tout de même injuste, vu que c'est une musique faite exprès pour s'endormir dessus. Le vieux Goldberg c'était un grand insomniaque, à ce qu'il paraît. C'est lui qu'a demandé à M. Jean-Sébastien le star un peu de soporifique mélodique et harmonique. Jean-Sébastien lui a dit d'accord mais si je t'écris l'ordonnance illico j'vas te la faire payer très cher. Goldberg a répondu qu'à cela ne tienne, le docteur Schnock, j'ai de quoi. Alors Bach qui à l'époque était déjà aveugle comme une taupe lui a gribouillé ça dans le temps de le dire. Tu te prends une variation chaque soir du mois, tu te la fais mixer par ta petite femme de chambre ou quelqu' chose de même, tu lui dis qu'elle te verse ça dans l'oreille aussi longtemps qu'il faudra, puis : fais de beaux rêves. Et Goldberg a dit, mille mercis le docteur Schnock, je m'en vas l'expérimenter. Alors le premier jour du mois il a commencé avec le thème et ça a marché tout de suite, KO avant la reprise. Deuxième jour, première variation, et ainsi de même jusqu'au trentième jour du mois. Génial. Pour les mois qu'avaient trente et un jours, on reprenait le thème à la fin et on remettait ça. Fait que forcément, il a dû l'entendre parfois deux nuits de suite. Mais j'ai jamais compris comment le Comte Insomniaque de Goldberg se débrouillait au mois de février.

Non mais, c'est-tu possible de se prendre au sérieux à ce point-là ? Des gars et des filles qui se prétendent être des intellectuels, des parangons de la Raison de la France des Lumières ou j'sais pas quoi, se réunissent pleine fin du XXe siècle pour une séance de spiritisme ? Manigancée par la dame médium, qui a semé des chandelles dans toute la pièce avant d'entrer en transe. Communier avec les esprits d'autrefois. Invoquer le vieux Bach en tripotant ses morceaux. (On ouvre le cercueil de Bach et on le voit, penché sur ses partitions, gomme à la main, en train d'effacer furieusement. Mais ciboire, Jean-Sébastien, que fais-tu donc ? Fous-moi la paix, qu'il répond, je suis en pleine décomposition.)

Ah ! ça les ferait pas rire, les Français, avec leur bouche en cul de poule. Quand même il y a du sacré quelqu' part, quand même ! Ça fait rien qu'on a mis le bon Dieu à la porte ben avant vous autres pauvres crétins de sous-développés culturels. Il est revenu par la fenêtre de l'art et on a ben le droit de faire nos génuflexions ben à nous autres bleus-blancs-rouges. Tant pis si on comprend *sweet fuck-all* à la musique, on sait que c'est bon, Seigneur ! on sait que c'est là un des sommets de la Civilisation européenne. Y s'prennent vraiment pour les tétons de la Viarge !

Ça leur arrive-tu de siffler pendant qu'ils travaillent ? Ça leur arrive-tu de chanter ensemble ? à part les grosses fêtes arrosées de cinquante bouteilles de leur rouge, avec les grosses chansons ben gauloises camarades qu'est-ce qu'on est bien entre nous chez nous et plaf ! sous la table ! Ça leur arrive-tu d'apprendre à leurs petits de pianoter un peu, histoire d'égayer une soirée avec des chansons populaires ? Penses-tu. Vautrés devant la TV plutôt, à regarder la Grande Blonde se tortiller au milieu de ses paillettes. Ou fiers comme des coqs d'avoir fait la queue sept heures durant pour avoir une place à l'Opéra. Hostie. Et à soir ils savent tous qu'ils sont dans le beau, dans le bien, et puis tout le reste, pfft ! ça compte plus. La musique, c'est la fuite chic. Encore mieux que le cinéma. D'abord, y a rien à comprendre. Tu peux t'en aller rendre visite à tes châteaux en Espagne pendant ce temps-là, et personne t'accusera de pas avoir suivi. Tu peux prendre un air pénétré, ajuster ton corps dans la position numéro 52 dite de Béatitude esthétique, puis te payer une heure de fantaisies gratis et *bye-bye*

Bach. Mais le chic de la musique s'arrête pas là. Parce que ces gens, là, c'est tous des fins idéologues. Ça se peut pas de juste lire un livre ou de juste voir un film comme ça, sans arrière-pensée. C'est urgent de le caser dans une de leurs boîtes à *-ismes* : idéalisme, humanisme, manichéisme, romantisme, réalisme et tutti-quantisme. Alors la musique – quelle vacance ! pas une idée qui se laisse attraper là-dedans. C'est comme l'argent, ça a pas d'odeur, comme ils disent. La musique ça pue pas, ça a pas de relents idéologiques, donc c'est le fun sans la culpabilité. Faut pas se demander quels *-ismes* il avait dans la tête, lui, le grand sire Bach. Ça peut être du machisme, du christianisme, du népotisme, on s'en contre-crisse. Parce que ce qu'il a couché sur le papier, ce sont des petits cercles qui montent et qui descendent, ce sont pas des lettres ABC. Donc – pfft ! – il sort de l'histoire. La conception de sa musique est aussi immaculée que celle de la Bonne Viarge. C'est écœurant.

Je serais pas là non plus s'il y avait pas Christine, si c'était pas qu'elle avait joué de la flûte avec cette femme Liliane il y a longtemps, quand elle habitait Paris. Des duos, comme elle fait avec moi. Ça pourrait m'inspirer de la jalousie mais j'sais ben que c'est pas pareil, la guitare et le clavecin ça peut pas être des rivaux. Christine elle s'adapte à tout le monde. Elle veut toucher tout le monde. Et elle arrête pas de se brûler. Elle ramène chez elle des vieilles dames qu'elle trouve à côté de la poubelle et elle leur fait du thé à la mangue parce que c'est tout ce qu'elle a chez elle. A Boston elle va dans la Combat Zone et elle essaie de jaser avec les putains, on l'envoie promener, elle est blessée. A Montréal elle va toute seule dans les tavernes au milieu de la nuit, on la met dehors, les femmes sont pas admises. Elle m'appelle à quatre heures du matin, en calvaire. Mais ma chérie tu sais bien que les bonnes femmes rentrent pas dans les tavernes chez nous. Puis elle me raconte l'histoire des deux féministes qui vont s'asseoir dans une taverne : le serveur vient, il leur dit j'm'excuse, mesdames, mais on sert seulement les hommes ici. Elles répliquent : C'est pas grave, on en prendra deux ! Puis elle rit comme une folle et j'ai peur pour elle. Elle est pas dans ce monde, Christine. Elle arrive pas à se mettre les pieds par terre. Elle arrive pas à retenir une bonne job. La semaine passée elle faisait de la sténodactylo, ce qu'ils appellent travail-temporaire-grande-liberté, et son boss lui a dit que c'était la meilleure secrétaire de remplacement qu'ils avaient eue jusqu'à date, et elle s'est encore mise à chialer. Elle a pas de distance. J'sais pas quoi faire avec elle. Alors je l'emmène en France une bonne fois pour toutes, je lui offre le voyage pour qu'elle s'en souvienne que son année d'études en France avait pas été le boutte du boutte. Faut toujours faire des petits sauts en arrière comme ça, pour sentir comment ça puait pareil pendant l'âge d'or. Tout comme Bach. Puis elle me traîne de-ci, de-là et je me laisse faire, bon ça c'était ton "restau-U", et c'est là que t'as rencontré le soûlard qui t'a raconté ses quatre mariages et qu'il était plus talentueux que Shakespeare, et OK je viendrai avec toi écouter ta chère Liliane ce soir.

Sûr qu'elle est pas vilaine, mais c'est pas du sang rouge qui coule dans ces veines-là. T'as vu ces veines sur le dos des mains et sur le front ? C'est des stalactites plutôt, moi je reconnais la glace quand je la vois. C'est pas possible d'être froid à ce point. Sa musique aussi c'est des stalactites. Très très joli, comme ça scintille au soleil, mais vaut mieux pas toucher. Et après il reste rien, qu'un peu de sloche par terre. Le monde va s'en aller se mouiller les pieds dans la sloche après : Ce fut merveilleux, n'est-ce pah mon cher ? Et vous cher ami, qu'en avez-vous pensé ? Comment avez-vous trouvé cette césure après le passage du *staccato* au *legato* ? Un peu osé, n'est-ce pah, mais quelle maîtrise ! Et Liliane : Je voudrais vous présenter ma chère amie américaine, Christine, elle est flûtiste. Mais comme c'est charmant ! Mais il faut absolument nous donner un concert à votre tour !

Et Christine va devenir rouge comme les plaies du criss et me regarder, s'accrocher comme ça à mes yeux comme une petite fille s'accroche à la main de sa môman, impossible de trouver la bonne réponse, celle qui prouverait qu'elle a ce que les Français appellent de l'esprit. Pas un mot lui viendra, pas avec ces gens-là, je la connais et c'est tant mieux. Mais après, quand on sera parti, quand on sera entre nous, ça sera la chanson habituelle : "J'suis inadaptée, j'sais pas parler, ils étaient tous tellement gentils, qu'est-ce que j'ai qui va pas ? J'suis folle en maudit, j'vas me tuer, j'vas me tuer, j'peux plus même parler avec Liliane, elle qu'a tellement faite pour moi, moi qu'étais rien qu'une petite zombie de collégienne." – Puis ce sera à moi encore de calmer ses sanglots, de dire mais non mais non, on t'aime, tout le monde t'aime, Christine, t'as rien fait de mal, c'est eux qui sont fous, viens-t'en, on va s'en retourner à l'hôtel, jc te fais couler un bon bain chaud, puis on va se raconter des histoires, on va se chatouiller, on va rire ensemble, tu vas voir. Viens Christine.

Et tout ça parce que l'intelligentsia, comme ils disent, c'est la chose la plus bête et la plus méchante dans ce bas monde. J'préfère encore jaser avec mes parents, qu'ils me parlent de comment vont les animaux et de combien la moulée a augmenté cette année, qu'ils me disent "assis-toi un peu pendant qu'on fait à manger" et que ma mère laisse échapper une toune de son enfance pendant qu'elle met la table, même si c'est platte, comme l'alouette ou n'importe quoi, j'préfère cette alouette-là à tous les comtes Goldberg du monde servis rôtis sur des assiettes en or. Puis on se mettra à table et il y aura les plus petits qui vont me dire Paris ? Paris ? avec les yeux grands comme ça et j'vas leur dire une bonne fois pour toutes, Paris ç'a pas de bon sens, les chaises sont dures comme la Vraie Croix et les Parisiens pareils, j't'le jure, que ça vaut pas la peine. Puis ils vont rire et on va se joindre les mains autour de la table pour dire la bénédiction et tout le monde va être très content que j'sois là et moi y compris. Avec la main de ma mère à ma droite et la main de mon petit frère à ma gauche, et ce sera là quelque chose de

VARIATIO VI

Souvenirs

ses vomissements sur l'île. Elle ne voulait pas que
je la touche parce qu'elle se sentait laide. Toujours
quand elle se sentait moins que resplendissante
elle pensait que l'amour cessait. C'est-à-dire, très
souvent. A ces moments-là, elle préférait être seule,
et son désir de solitude se transformait immédiatement en une attaque : toi, tu n'as jamais besoin
d'être seul, tu n'as d'identité que par rapport aux
autres. Je la laissais partir. Parfois elle partait
l'après-midi entier, elle errait à travers les collines
de l'île et revenait avec les jambes égratignées
comme une petite fille, les cheveux ébouriffés, et
même un peu de couleur dans les joues. Elle jouait
à la sauvageonne, mais en fait elle détestait être
coupée de la ville. Cela aussi, c'était de ma faute.
Elle n'arrivait pas à dormir. Elle quittait notre lit
au milieu de la nuit, elle grimpait dans un arbre
pour contempler la pleine lune, ensuite elle revenait me dire sur un ton tragique à quel point tout
cela lui paraissait factice, y compris la lune, et d'un
factice malveillant, comme si l'île, les plages, les

palmiers, les villas blanches et la lune avaient été mis là exprès pour la distraire des choses vraiment importantes.

Quelles étaient les choses importantes pour elle, je n'ai jamais réussi à le savoir. Faire l'amour était important sur le moment, ses yeux pour une fois cessaient d'être pénétrants, coupants, et devenaient comme des étangs limpides. Souvent elle pleurait, elle me serrait contre elle. Dix minutes après, cigarette à la bouche, elle pouvait être en train de discourir sur "la possessivité et la jalousie dans nos sociétés". Dix ans après, c'est de ses discours que je me souviens et non pas de son amour. Etonnant que je puisse regarder cette femme, dans le corps de qui j'ai joui des centaines de fois, et ne pas parvenir à l'imaginer nue, abandonnée. Avec Hélène c'est différent... Liliane est allée plus loin, plus loin encore dans tout ce qui l'éloignait de moi. Incroyable, ma sérénité maintenant à l'observer. Et c'est quelqu'un d'autre qui cède à ses caprices.

En fait c'est moi qui l'ai présentée à Bernald. Je l'avais présentée à des dizaines de "grands hommes". Elle disait toujours oui, qu'elle avait envie de les connaître, et à la fin de la soirée, une fois seuls, elle me fustigeait parce que la conversation avait été trop superficielle. Jamais elle ne faisait le moindre effort pour détendre l'atmosphère. Tous les autres étaient sur la sellette, et c'était elle le juge, le tribunal et l'exécuteur des hautes œuvres. Elle se servait du mutisme comme d'une forteresse, elle s'enfermait dans un silence boudeur, réprobateur, son expression devenait de plus en plus lugubre, et ensuite sa langue livrait attaque. J'ai fini par avoir peur de sa langue, et on ne peut pas désirer ce dont on a peur. J'ai fait un cauchemar dans lequel je regardais sa bouche en regrettant de ne plus pouvoir embrasser ces lèvres si belles à cause des horreurs qui les avaient traversées.

Nos réconciliations : mortelles.

J'avais voulu la rendre heureuse, je crois maintenant que c'est impossible. Je l'ai emmenée dans tous les endroits qui pour moi signifiaient quelque chose et elle m'a accusé de la manipuler. Je l'ai suppliée de me dire ses désirs à elle, elle a prétendu ne pas en avoir. C'était un mensonge, le pire de tous.

Pas si serein que ça.

Sa musique, n'était-ce pas son île à elle ? C'est là que moi je me sentais largué en tout cas, là que j'étais coupé, moi, de toutes mes références. Encore une fois, elle me le reprochait avec une joie mauvaise. "Tu ne sais pas simplement écouter, il faut qu'on te raconte des histoires." Pour elle, j'aurais volontiers supporté, dans le silence et à la suite, toutes les symphonies de Beethoven. Mais pas ces mots. Dans la musique, comme dans tout le reste, il ne s'agissait pas pour elle d'une question de goût, mais de philosophie de la vie. Donc elle me poussait dans mes retranchements. "Pourquoi tu aimes l'opéra ? Hein ? Tu crois que c'est un hasard ?" C'était une de ses phrases préférées, comme pour les psychanalystes : "Ce n'est pas un hasard si…" Et j'ai fini par lâcher une énormité ; que dans la musique instrumentale, je n'entendais pas la lutte des classes. Elle a hurlé de rire, évidemment.

Ce soir-là j'étais impuissant.

"Mais je ne comprends pas pourquoi ça t'abat à ce point. Faire l'amour, ça peut être autre chose que la pénétration. Ça ne fait rien, je t'assure."

On s'est traîné comme ça longtemps, de plus en plus misérables, sans réussir à se quitter. Jusqu'au jour où elle a enfin choisi contre les vaches.

Un de ces colloques dérisoires tenus tous les printemps à Brume-sur-Mémoire. On était allé, invité par Thomas. Très bonne humeur. Elle se sentait belle, elle avait maigri, elle s'était noué un foulard noir sur les cheveux et ses yeux étaient moins cernés que d'habitude. En revenant d'une promenade après déjeuner, on s'est trouvé exactement à mi-chemin entre deux grosses vaches en train de brouter, et deux grosses têtes en train de palabrer. C'était Bernald Thorer et Simon Freeson. J'ai ironisé en disant que cela nous caractérisait très bien : tiraillés entre l'amour de la nature et l'amour de la culture. Elle a pouffé de rire. C'est le même soir qu'elle a dû tomber amoureuse de Bernald.

L'après-midi il avait fait une communication, brillante comme d'habitude. Liliane était distraite, nerveuse, elle s'était mise à côté de la porte et elle mâchait des brins d'herbe qu'elle arrachait entre les dalles à ses pieds. Après le discours de Bernald il y avait eu un débat particulièrement pénible avec, notamment, un vieil Anglais à favoris blancs qui interpellait Bernald d'une façon à la fois naïve et arrogante, jetant toute l'assistance dans une consternation profonde. L'abîme s'avérant infranchissable, la partie avait dû être abandonnée. Mais le soir, on s'est retrouvé à une vingtaine d'"'intimes" pour boire et bavarder au petit salon. Quelqu'un a supplié Bernald de se mettre au piano et il a consenti de bonne grâce, mais brusquement l'Anglais a resurgi en brandissant des partitions de musique pour piano à quatre mains. Ils ont donc déchiffré quelques pièces ensemble et c'était assez remarquable ; leur désaccord était subrepticement levé.

Les yeux de Liliane brillaient. Je crois que c'est à ce moment-là.

Peu importe, du reste.

Il a fallu encore deux années pour qu'on se sépare. Une fois, tout au début, quand on était en pleine période de captation, assis devant la cheminée à Mornay, elle s'était mise à sangloter en écoutant Prévert :

... et la vie sépare ceux qui s'aiment,
tout doucement, sans faire de bruit...

Elle avait éprouvé une sorte de nostalgie à l'avance pour notre amour. Après la séparation, j'ai entendu cette chanson par hasard sur un juke-box, et ça m'a fait tellement mal que j'ai dû quitter le café. Maintenant ça me laisse indifférent : Hélène passe le disque de temps en temps, elle l'aime beaucoup et donc ça a pris un autre sens. C'est la même chose avec les chansons de Dylan : adolescent, chacune d'elles était associée pour moi à un moment fort, et de les réentendre même six mois après produisait un choc de souvenir insupportable. D'année en année, le choc s'est amorti, et vingt ans plus tard il ne reste que le souvenir de cette baisse d'intensité, plus rien de la sensation originelle.

"Vingt ans plus tard" : je n'aurais jamais cru qu'il soit possible de prononcer ces mots. Quand j'étais enfant, ça me paraissait scandaleux que les adultes puissent parler calmement de "quatre ou cinq ans". "J'ai vécu quatre ou cinq ans à Marseille", et cetera. Ils vivaient bien le même temps que moi ; ils se levaient tous les matins et se couchaient tous les soirs et prenaient trois repas par jour comme moi ; comment pouvaient-ils se laisser étouffer par ce temps mou, amorphe, visqueux ? Et puis, petit à petit, j'ai commencé à le sentir moi aussi, le temps-pieuvre. Et voilà que j'ai les cheveux qui tombent et que ça me donne des soucis, tout bêtement, comme à mon père, et voilà que je ne peux plus passer des nuits blanches et me sentir frais le lendemain, et voilà que je commence à "me ménager" et à parler comme les autres : "se ménager", comme si le "soi" qu'on ménageait était un autre, comme si le corps était un corps étranger dont il fallait prendre soin. Et voilà que ma tête contient des images qui appellent les mots "vingt ans plus tard".

J'ai bien vingt ans de plus, par exemple, que cette fille là-bas à côté de Thomas. Ce qui aurait été, naguère, de l'"intérêt légitime" est devenu, par le simple passage du temps, "pédophilie criminelle". Un changement quantitatif devient un changement qualitatif. Car elle est certainement mineure. Seize, dix-sept ans. Peut-être dix-huit, à tout casser. Elle s'est mise près de la porte – à peine assise, perchée plutôt sur sa chaise, comme pour pouvoir prendre la fuite –, très farouche, comme une gazelle. Des yeux qui regardent partout sans savoir où se poser. Son regard croisera-t-il le mien ? Elle est tout à fait charmante. Les doigts qui lissent la jupe sur ses cuisses maigres, nerveuses. Le visage encadré de grands cheveux, presque un heaume, alors qu'elle a des traits si fins. Le nez un peu pointu. Peut-être la clavicule aussi. Et l'os iliaque.

Elle a vraiment quelque chose de fascinant. Tant pis pour moi. J'irais jusqu'à lui adresser la parole, Hélène ferait des commentaires sarcastiques à propos de mon avenir de vieux dégueulasse. On est pour la libération sexuelle, à condition que le cloisonnement des tranches d'âge reste étanche. Et il est naturellement inconcevable qu'une fille de dix-sept ans puisse présenter un intérêt autre que sexuel ; qu'elle puisse avoir des idées, des opinions et des problèmes bien à elle, qu'elle puisse vouloir en parler avec quelqu'un. Tout de suite je deviendrais le mâle agresseur. Peut-être pour elle aussi, du reste. Elle doit être constamment sollicitée dans la rue par les dragueurs. Avec un corps comme ça et cet air un peu paumé, c'est très probable. Je me demande ce qu'elle fait ici. Thomas aura relevé d'autres détails, il m'en parlera après. Il observe les femmes d'une façon remarquable, bien qu'il ne les aime pas. Il pourra sûrement me dire pour l'os iliaque, au moins.

VARIATIO VII

Infini

Même les chaises sont singulières. Ils les ont sûrement achetées aux puces pour trois fois rien, et
c'est Bernald Thorer qui les aura décapées et ver-
nies ; il paraît qu'il fait beaucoup de bricolage
depuis qu'il a cessé d'écrire. De la menuiserie, des
choses comme ça, même du tissage. Et c'est lui
qui a peint les fleurs à l'intérieur du clavecin,
d'après un motif flamand du XVIIe siècle. C'est
vraiment beau, tous ces pétales microscopiques…
Ça me rend impatiente rien qu'à les regarder. Je
pense au nombre d'heures qu'il a dû mettre à faire
ça. Comme au musée des Arts déco, je vais de
salle en salle et je regarde tous ces objets minia-
tures qui ont demandé des mois et même des années
de travail : l'orfèvrerie, l'ébénisterie, la joaillerie,
toute cette concentration, tout cet effort… Ça me
déprime. Je ne sais pas pourquoi. Peut-être parce
que je n'en vois pas l'utilité, et pourtant c'est beau
et les gens l'admirent. Ce qui est beau, c'est ce qui
est fini, vraiment achevé. Je n'achève jamais rien.
Il me semble que ce serait le tuer. Ou peut-être que

je n'y arrive pas, tout simplement. Alors j'ai tendance à acheter des choses neuves, des choses toutes faites ; elles peuvent être belles aussi, mais enfin ce n'est pas pareil. Je préférerais vivre dans une maison comme celle-ci, je sens qu'elle conviendrait mieux à mon tempérament, mais j'ai peur de ne pas pouvoir fournir l'effort nécessaire. C'est la même chose pour la cuisine, j'adore les plats mijotés mais j'ai peur de rater les recettes. Alors je fais toujours les mêmes choses, tout ce qui ne demande pas de préparation. J'arriverais jamais à faire pousser des fines herbes dans des pots, par exemple. Je me sentirais trop malheureuse si elles crevaient par ma faute. Ou si elles ne poussaient pas du tout, j'y verrais comme un signe. Pierre dit qu'il s'en fout, qu'il aime autant manger au restaurant, qu'on peut se le permettre maintenant qu'il gagne plus d'argent qu'avant, mais enfin j'aimerais quand même mieux qu'on ait une vraie maison. J'ai jamais l'impression que nous arrivons à construire quelque chose ensemble, ça en reste toujours au même point, on vit au jour le jour, dans le plaisir du moment. Et c'est vrai qu'on a du plaisir, seulement ça m'angoisse de ne pas du tout savoir où on va. Peut-être que c'est mon origine petite-bourgeoise qui fait que j'ai besoin de sécurité, mais enfin c'est comme ça que je le ressens. Au travail, c'est exactement l'inverse, c'est justement la sécurité qui m'angoisse. J'ai vraiment peur de vieillir idiote, même si c'est un cliché. Faire le même programme de français au lycée, année après année... Je sais que je le fais bien, les élèves trouvent que je suis une prof sympa ; parfois même je réussis à leur insuffler l'amour de la littérature, et c'est pas un travail abrutissant comme à l'usine. Mais je vois les profs autour de moi qui font ça depuis vingt ans, trente ans, qui comptent les années qu'il leur reste à "faire" avant la retraite et ça me glace. Je me dis que je pourrais très bien devenir comme eux, déjà je joue si bien leur jeu – je me plains d'avoir à corriger des copies et à prendre le train quand il fait encore nuit pendant l'hiver –, je sens que mes horizons vont se rétrécir de plus en plus et que je finirai vieille fille, étriquée comme Mme Bonnaud. Mais quand j'en parle avec Pierre il me dit : fais autre chose, t'as plein de temps, tes cours ne t'occupent que deux jours par semaine, tu es libre de faire tout ce que tu veux. Et je n'ose pas lui répondre la vérité, à savoir que je n'ai aucune idée de ce que je veux. Quand je prends un livre, il me semble toujours que j'aurais dû en prendre un autre ; pour lire Untel il faut d'abord avoir lu Untel, et je commence à flipper parce que je ne vois plus que des lacunes partout. Déjà je me sens dans l'imposture d'être professeur de français, alors que quand j'étais au lycée je croyais que les profs étaient omniscients. J'ai l'impression de ne rien connaître, et du coup je ne sais pas par où commencer. Ça m'a toujours étonnée que les gens sachent si bien ce qu'ils avaient à faire dans la vie. Que dès l'âge de quatorze, quinze ans on était censé choisir exactement quel métier on voulait exercer. Les autres avaient l'air de trouver ça normal, ils passaient les examens et se répartissaient comme par magie sur les différentes voies qui leur étaient proposées. Moi j'avais de bonnes notes, ça me venait facilement, alors comme j'étais une fille on m'a envoyée en lettres classiques et j'ai dit oui, d'accord, et ça a continué comme ça jusqu'à ce que je me retrouve prof. J'ai l'impression de n'avoir jamais fait un seul choix de ma vie.

Comment se fait-il que je sois la seule à sentir que j'ai une intelligence lacunaire ? Les autres peuvent être bêtes ou brillants, ils ont toujours l'air d'être convaincus de ce qu'ils disent et de ce qu'ils font. Moi, dès que je prononce une phrase – même si personne ne la contredit – je suis ébranlée dans mes certitudes. Mais j'ai vu des gens vraiment débiles qui claironnaient des énormités avec une suffisance… Tout le monde est suffisant. Je suis la seule à ne pas pouvoir me suffire à moi-même. La seule dont l'intelligence est trouée. Je peux lire n'importe quelle quantité de livres – pendant les vacances j'en consomme deux par jour – et ça ne change strictement rien, les trous restent là, béants. Quand j'entends les amis de Pierre discuter, je suis très admirative. Non seulement ils savent ce qu'ils pensent, mais ils le disent toujours d'une façon remarquable, avec des allusions, des comparaisons, de l'humour, de la colère, parfois avec des mimiques désopilantes : ils vont vraiment jusqu'au bout. Ils s'investissent.

Pourtant je sais que Pierre estime mon intelligence. Une fois je lui ai demandé si ça ne lui arrivait jamais d'avoir la tête vide et il a dit : Sincèrement, non. Il semble ne pas s'apercevoir de l'asymétrie qui existe entre nous : lui a des passions et moi non. Alors je me dis que c'est peut-être tant mieux, que s'il savait à quel point je dépends de lui pour me guider intellectuellement il me rejetterait, ça le ferait trop penser à la position paternelle. Il est très sensible sur ce point. Il n'aime pas du tout qu'on le taquine à propos de son goût pour les femmes plus jeunes que lui. D'abord c'était Liliane, et ensuite moi... j'ai quatre ans de moins que Liliane. Il dit maintenant que son éclat a un peu terni. Ça ne lui vient pas à l'idée que ça pourrait me faire flipper d'entendre ça... En même temps, ça me paraît terriblement injuste d'avoir moins d'estime pour quelqu'un simplement parce que du temps lui est passé sur le corps. La personnalité de Liliane est peut-être devenue plus riche, plus complexe, plus humaine que quand il vivait avec elle – je ne sais pas, on ne s'appelle presque plus –, mais ça ne l'intéresse pas, ce qui l'intéresse c'est que "son éclat a un peu terni"... Il m'assure que moi je suis toujours aussi belle, que moi je ne fais que rajeunir de jour en jour. Mais justement, je voudrais ne *pas* avoir à rajeunir. Je voudrais pouvoir vieillir, tranquillement, en me sentant aimée. C'est un peu comme ça que je m'imagine la vie de Liliane avec Bernald Thorer : le vieillissement tranquille... Peut-être que Pierre me parle comme ça pour déjouer mes angoisses. Il sait que j'ai toujours eu peur de n'être pour lui qu'un pis-aller par rapport à Liliane. Il m'a juré que c'était faux – que leur relation s'était déjà complètement déglinguée et que le ressentiment était réciproque –, mais je n'arrive pas à me débarrasser de ce soupçon. Ça me ronge par moments. Après tout, quand on s'est connu je ne représentais pour eux qu'une "conquête" parmi d'autres. Ce n'est peut-être pas le mot qu'ils employaient, mais c'est à mon avis celui qui convient. Une fille plus jeune qu'eux, une nymphette à séduire. Et quel couple séduisant ! Ça me faisait tourner la tête. Ils me faisaient penser aux Fitzgerald… Alors, après cette grande soirée chez eux, un dîner avec beaucoup de monde, beaucoup d'alcool, quand on s'est retrouvé de moins en moins nombreux, et finalement seulement nous trois… Le tapis de poils blancs sur lequel on s'est étendu pour écouter de la musique – il est maintenant dans le hall d'entrée ici ; il devait appartenir à Liliane –, Pierre a mis un disque, des pièces pour clavecin de Scarlatti, puis il s'est couché en passant un bras autour de chacune de nous et il s'est tourné vers moi pour m'effleurer les lèvres. J'étais plutôt déroutée, je ne m'étais jamais trouvée dans une telle situation, tout me paraissait en même temps si doux, le sourire de Liliane… elle a commencé à me caresser les cheveux à la nuque. Et c'est vrai que j'avais énormément de désir pour Pierre, il me semblait si beau, si attentif, si cultivé, alors j'ai décidé de me laisser faire… on s'est déshabillé lentement les uns les autres, on avait cessé de parler mais il y avait la musique, Liliane m'a embrassée passionnément sur la bouche et j'ai senti pour la première fois la douceur bouleversante d'une peau de femme. Je tremblais d'émotion, j'ai commencé à la désirer elle, sans très bien savoir ce que ça voulait dire… Ensuite, c'est devenu moins planant, le disque a pris fin et on était allé trop loin pour s'interrompre et mettre l'autre face ; je me sentais un peu trop réveillée, je me suis demandé comment on allait faire, vraiment, l'amour à trois. J'ai vu que Pierre bandait très fort et tout d'un coup j'ai eu la sensation désagréable d'être épinglée dans un tableau vivant : son excitation n'était-elle pas provoquée par l'*image* de deux femmes jeunes et belles et nues à ses côtés ? et nos signes de tendresse l'une pour l'autre ne seraient-ils pas récupérés par cette image ? Tout cela me paraissait faussé quelque part, même si je n'aurais pas su dire où exactement. Ensuite j'ai eu honte : je me suis dit que ma résistance venait de ma parole puritaine ; je me suis reproché de ne pas pouvoir simplement aimer cet homme et cette femme qui étaient si aimants… A la fin, Pierre m'a pénétrée, moi, alors que Liliane nous caressait la poitrine à tous les deux, je n'ai absolument rien senti ; c'était comme si je nous voyais de loin, comme une troupe d'acrobates ou bien une gravure libertine ; ça m'a complètement refroidie. Heureusement, il a joui presque immédiatement et nous nous sommes endormis tout de suite après, comme ça sur le tapis, tellement nous avions bu d'alcool…

Le matin j'ai parlé avec Liliane, Pierre était parti à son travail. Nous avons fait du café et nous sommes allées le boire ensemble dans le lit qui n'avait pas été défait. Elle m'a dit qu'elle aussi s'était sentie un peu coincée, qu'elle n'arrivait pas à bien saisir toutes les émotions qui la traversaient dans ces moments-là ; à faire le partage entre sincérité et volontarisme ; que certainement ce n'était pas rien, même pour elle, de voir l'homme qu'elle aimait en train de pénétrer une autre femme ; mais que la jalousie ne tombait pas non plus du ciel et qu'elle avait envie de la surmonter ; enfin qu'elle m'aimait vraiment beaucoup. Nous nous sommes embrassées mais nous n'avons pas fait l'amour. Depuis qu'on vit ensemble, Pierre ne m'a jamais proposé des choses pareilles, je lui ai expliqué toute l'angoisse que ça avait suscitée en moi et je crois qu'il a compris. Cela dit, c'est très possible qu'il me trompe, mais la seule idée est pour moi une telle torture que de toute façon je préfère

VARIATIO VIII

Viole
le seul à ne pas vivre dans la fameuse tour d'ivoire.
Il m'a payé le voyage une fois pour aller avec lui
dans le sud des Etats-Unis, j'ai vu qu'il s'intéressait à tout. Comme un gosse. Voulait tout savoir
sur les gens, les noms des villes qu'on traversait,
tout. Une fois un type nous a traités de *bastards*
parce qu'on s'était trompé de route et qu'on avait
pris son chemin de terre. Il nous menaçait avec un
gros fusil de chasse et Bernald m'a dit pendant
qu'il faisait demi-tour : "Comment ça se fait qu'on
dise «bâtard» pour insulter les gens en anglais et
pas en français ?" – alors que moi je pissais dans
ma culotte. Il était fasciné par la violence. Pas un
truc morbide, simplement ça le préoccupait. Deux
de ses bouquins étaient là-dessus. Une autre fois
on marchait dans un ghetto noir où on était les
seuls Blancs dans la rue. Les Noirs assis sur les
marches de leur maison nous jetaient des regards
mauvais. "Ça fait du bien d'être «l'autre» pour
une fois, il m'a dit, rien que pour se faire une idée
de ce que ressentent les Arabes chez nous." C'est

vrai que ça faisait un drôle d'effet tout d'un coup, d'avoir la peau blanche, comme si c'était pas normal. Moi je me disais que les Noirs oseraient pas nous regarder comme ça quand même, s'ils savaient que ce type un peu voûté était un des cerveaux les plus formidables du monde entier. Mais c'est vrai qu'on était sur leur territoire, et qu'on faisait un peu touristes à la con. Aussi pendant la guerre d'Algérie il s'est mouillé, et ça a pas été juste pour signer des pétitions et prêter son nom à la bonne cause. Toutes ces années-là on se voyait souvent, on parlait des événements politiques, lui avait toujours des choses à dire qui étaient pas comme tout le monde. En 68 c'était le seul homme lucide dans tout Paris. Dans le coup, et pas dupe en même temps. Il aimait pas le mot de révolution, pour commencer. Il détestait les flics, les CRS, les militaires ; il détestait aussi les petits chefs gauchistes. Il aimait pas les héros, les leaders, "les gens qui crient NOUS tellement fort qu'ils font taire tous les je", je me souviens qu'il m'a dit une fois. Et c'était pas seulement des mots, il vivait comme ça vraiment. Par exemple ça l'amusait pas les querelles dans les canards. La guerre, ça l'amusait pas, verbale ou physique.

J'étais pas habitué à fréquenter des gens comme lui. Quand je voyais sa photo dans les vitrines des librairies je me disais c'est pas possible qu'il s'intéresse à moi, quelqu'un d'aussi fortiche, je suis sûr que mon père a jamais eu des amis comme ça. Mais c'est vrai que c'était mon copain, il disait jamais qu'il était occupé si j'appelais au milieu de la journée, quand j'avais des problèmes parfois. Par exemple quand Suzanne s'est barrée ou quand j'étais en chômage, il disait toujours viens, on va boire un verre ensemble, tu veux passer à la maison ? Il vivait seul à ce moment-là et je venais dans son appartement où il y avait des bouquins partout, même par terre et même dans la cuisine. C'est là qu'on allait boire, à la cuisine, et lui aussi me racontait ses problèmes, qu'il avait la tête vide ce jour-là ou qu'il croyait que ça valait plus la peine d'écrire, je me souviens qu'une fois il se sentait abattu et il m'a demandé s'il pourrait pas devenir menuisier comme moi. Je lui ai dit que ça s'apprenait pas comme ça la menuiserie, que c'était long, moi j'avais fait sept ans d'apprentissage du métier mais je voulais bien lui montrer des petites choses. Toute l'année on s'est vu comme ça, je venais le samedi après-midi, il mettait de la musique, des choses très bien, des vieux disques de jazz des années trente, et on buvait de la bière pendant qu'on travaillait. Je lui montrais les outils, le matériel, qu'est-ce que c'est que le bon bois, tout ça. Il m'écoutait et il s'y mettait, j'étais même surpris, c'était pas de la blague, il prenait ça au sérieux et je lui ai appris plein de choses. Je crois que ça nous faisait du bien à tous les deux de se voir comme ça et de faire quelque chose ensemble. Après, quand j'ai été vivre en banlieue, on s'est un peu perdu de vue. Moi, les choses allaient plutôt mieux, j'avais trouvé du boulot, ça me plaisait mais c'était fatigant et j'avais pas envie de revenir en ville le soir. Il m'appelait de temps à autre pour prendre de mes nouvelles. Je pensais que lui aussi s'était retapé le moral mais peut-être pas. En tout cas s'il avait été en forme il serait pas tombé entre les mains de la sorcière. Ça je comprends vraiment pas ce qu'il voit dans cette femme-là. Moi, je la tuerais presque. Sérieusement. C'est pas seulement parce qu'elle m'a volé mon copain. Mais c'est pas quelqu'un de bien. Elle est pas nette. Elle me rappelle cette chanson qu'il mettait parfois, Bernald, et il m'expliquait ce que ça voulait dire, la *Sad-Eyed Lady of the Lowlands.* Elle joue à la dame aux yeux tristes, c'est ça. Elle te regarde droit dans les yeux avec ses grands yeux de petite fille perdue, et tu sais pas où te mettre. Pourquoi elle te regarde comme ça ? Comme si elle voulait que tu lui dises quelque chose. Mais quoi ? Tu cherches. Et pendant ce temps-là, pendant qu'elle fait semblant d'être toute faible et toute féminine, elle te vole ton âme. Elle est vraiment comme les sorcières qui volaient les âmes des gens. Moi, elle me l'a pas volée, je sais pas lui parler de toute façon, j'ai rien à lui raconter. Elle est pas comme Bernald, lui il peut causer avec n'importe qui. Mais elle, elle dit rien, elle jette un silence comme si, ça, c'était parler… En tout cas elle a volé son âme à lui, et ça c'est sûr. Ça me rend malade de le voir comme ça. Si mou, et complètement dans son pouvoir. Oui, madame ; tout ce que vous voudrez, madame. Depuis qu'il la connaît, j'ai plus rien à lui dire à lui non plus. Je viens ici mais c'est pas pareil que chez lui à l'époque où il vivait seul. On s'amuse plus, je sais pas comment dire. Il me parle de ce qui se passe et j'arrive pas à comprendre pourquoi il écrit plus. C'est pas que je lisais ses bouquins mais c'était quand même sa façon à lui de se bagarrer. Ça suffit pas de se bagarrer entre quatre-z-yeux, j'arrive pas à m'y faire.

Elle est plutôt blafarde ce soir, la *sad-eyed lady*. Ce qu'il lui faudrait peut-être c'est une bonne claque. Pour la réveiller. Mettre de la couleur sur son visage. Pourquoi elle porte toujours du noir ? Je l'ai jamais vue habillée qu'en noir. Comme si tout le monde qu'elle aimait était mort. Mais elle aime personne. C'est elle qui est déjà morte. Un fantôme. Impossible de la toucher. Elle est à côté de toi et elle est pas là. Je sais pas du tout où elle est. Dans l'autre monde. Elle te sourit et tu voudrais lui mettre le poing dans la figure. Pas fort, juste assez pour ouvrir la lèvre sur les dents. Histoire de voir si elle est vraiment faite de chair et d'os. Elle paraît pas humaine. Qu'est-ce qu'elle a sous cette robe ? Est-ce qu'elle a des seins comme une vraie femme ? Pas de seins. Pas de hanches. Pas de cul. Toute maigre, comme une anguille. Elle te glisse entre les doigts. T'arrives pas à la saisir. Qu'est-ce qu'elle a sous tout ce noir ? Elle porte même pas de soutien-gorge. Est-ce qu'elle porte une culotte ? Une culotte noire ? En dentelle ? Achetée dans un grand magasin de luxe ? Ou dans un autre pays ? C'est elle que Bernald emmène en voyage maintenant. Qu'est-ce qu'elle a là-dessous ?

Comment elle est faite ? Elle peut pas avoir une chatte comme toutes les femmes. Tu voudrais arracher cette robe qui est comme une peau noire qui lui colle à la peau. Tu voudrais déchirer cette culotte, tu voudrais la prendre par les épaules et la secouer, est-ce que tu veux bien arrêter ton cinéma ? Espèce de salope ! Arrête de jouer les morts-vivants ! Est-ce que tu as une chatte comme tout le monde ? C'est qu'elle doit être froide. C'est qu'elle doit être froide et sèche comme une tombe. Est-ce qu'il y a même un trou là-dedans ? Hein, salope ? Tu voudrais la prendre par les cheveux et lui secouer la tête à droite et à gauche. Tu voudrais lui serrer la mâchoire entre les doigts. Elle crierait même pas. Elle pleurerait même pas. Elle aurait pas de larmes. Elle serait toute sèche, toute froide, elle arrêterait pas de te regarder avec les mêmes yeux, pourquoi tu me fais ça ? je t'ai rien fait. Avec son air de reproche, Mme l'Intouchable (Ah ! comme j'ai souffert dans la vie ! regardez comme je suis triste, comme je suis morte), putain !

C'est pas la peine. Tu la lâcherais. Tu la laisserais tomber. Qu'elle crève, si c'est ça qu'elle veut. C'est son affaire. Qu'ils aillent au diable tous les deux. Tout le monde ici. Avec leur musique merdique. C'est pas ça que Bernald écoutait avant, pas cette espèce de pipi dans un pot de chambre. Attendre que ça passe. Puis filer en vitesse. Plus jamais foutre les pieds dans cette maison. Marie m'a dit que je devais plus venir. Elle avait raison, j'aurais mieux fait de rester devant la télé. C'est pas des gens comme nous, comme elle dit. Je lui ai expliqué que Bernald avant c'était autre chose. Mais elle aime pas ça, les intellos, un point c'est tout. Pour elle c'est des paresseux, des gens qui foutent rien, qui savent pas ce que c'est que de travailler. Et c'est un peu vrai. Quand on voit ce qu'elle se paie comme bijoux, la sorcière. Et tous ses amis fringués. C'est vrai que c'est des parasites, quand même. Aujourd'hui, j'ai bossé dix heures avant de venir ici. Demain, pareil. Ça fait rien pour eux s'ils se couchent à minuit. Ils peuvent faire la grasse matinée au milieu de la semaine, et répondez pour moi au téléphone mam'selle la bonne. Je l'ai vue, la bonne, quand on est arrivé. Elle a pas le droit d'écouter la musique, comme de bien entendu. Il y avait pas assez de chaises ? Peut-être que c'est ça la raison. On est désolé ma petite mais tu reviendras après pour vider les cendriers. Je connais ça, ma mère aussi elle faisait des ménages. Quand elle avait le même âge que la sorcière c'était déjà une vieille. En plus elle était grosse, et à force de devenir de plus en plus grosse elle pouvait plus travailler. Faut avoir de l'argent pour être maigre comme la sorcière. Madame ne mange que du caviar et du saumon fumé, c'est normal. Sait pas ce que c'est que les pâtes et les patates. Jamais vues. Moi j'ai vu que ça pendant toute mon enfance. La première fois que Marie m'a fait des pommes de terre bouillies, je lui ai lancé l'assiette à la figure. Elle a compris tout de suite. Je gagne ma vie maintenant, les pommes de terre bouillies c'est terminé. On est plus dans la dèche comme mon père et ma mère. Je gagne assez pour qu'elle ait pas à travailler, alors qu'elle fasse au moins un peu la cuisine, c'est le minimum. Elle a compris, elle m'a demandé pardon. Ça s'est pas reproduit.

VARIATIO IX

Filiation

Je ne le ferai pas à Nathalie. Elle pense peut-être
le vouloir, mais je continuerai à lui dire non. Le
vendredi, tous les parents à l'école pour l'audition,
et elle n'était que dans le chœur. "Je voudrais
suivre de vraies leçons de chant, je voudrais chanter à l'Opéra", et je lui dis non, qu'elle se fait des
illusions. Toute la brillance de ce monde, ça la fait
rêver, mais c'est quelque chose de pourri jusqu'à la
moelle. La compétition. L'agressivité. Je ne veux
pas de ça pour elle. Elle m'en remerciera un jour.
Moi j'ai dû l'apprendre sur le tas. Elle peut profiter de ce que je sais. Je ne lui ferai pas subir les
tourments que ma mère m'a fait subir. Trois ans
j'avais, pas plus, on était en train de faire la sieste
ensemble ; elle me dit : "Toi, chérie, tu seras pianiste." Déjà je passais une demi-heure par jour à
faire des gammes. "Toi, ma chérie, tu seras pianiste.
Tu porteras une longue robe blanche et quand tu
entreras en scène tout le monde applaudira. Tu iras
au piano et tu joueras de la belle musique, du
Brahms, du Beethoven, et après chaque morceau

on applaudira plus fort. On te fera revenir, encore et encore, et à la fin on t'apportera des roses. Tu voyageras dans le monde entier et partout tu seras acclamée. Toi, ma chérie, si tu travailles."

L'audition de l'école m'a rappelé des scènes d'une cruauté insensée. Je n'y avais pas pensé depuis longtemps ; quelle folie quand même. Un auditorium où sont assis une centaine d'enfants entre sept et neuf ans, la plupart avec leur mère. Ma mère ne pouvait pas venir ce jour-là, j'étais seule. L'un après l'autre, dans l'ordre alphabétique, les enfants sont appelés à l'estrade pour jouer, sur un piano à queue, devant un jury composé de dix adultes, le même adagio de Mozart. A chacun on donnera une note sur cent. Les résultats ne seront connus que quand tout le monde sera passé. Cela dure, et dure, et dure, l'atmosphère est pesante et poussiéreuse, les aiguilles de l'horloge semblent s'être immobilisées. Mon nom est vers la fin de l'alphabet, mon tour ne viendra jamais, je voudrais qu'il vienne et je voudrais qu'il ne vienne pas, je voudrais que ça soit déjà fini ou que ça n'ait jamais commencé.

Il faut le jouer par cœur. J'ai joué ce morceau peut-être un millier de fois. Il doit être quelque part dans mes doigts. Je l'entends, répété, répété, répété, et il me semble le reconnaître de moins en moins. Je commence à transpirer. Mon front et mes mains deviennent humides. Mes mains vont sûrement glisser sur le clavier. Je vais tomber du tabouret. Je n'arriverai même pas à gravir les marches jusqu'à l'estrade. Je regarde comment font les autres. Je ne les connais pas. Ce ne sont pas mes amis. Aucun ne s'est assis dans le même rang que moi. L'auditorium est immense. Après chaque exécution de l'adagio, des applaudissements tièdes et fatigués. Mon cœur bat et c'est la seule chose que j'entends. Son battement remplit tout mon corps. Mes mains transpirent, elles suintent la sueur. J'ai peur de mouiller ma culotte. Je vais devenir liquide, je vais me fondre dans une flaque par terre. Je m'essuie les mains sur ma robe blanche et ça laisse des traces. La robe est neuve, ma mère me grondera. Non, je ne vais pas rentrer à la maison ; quand ce sera fini, je vais courir jusqu'au fleuve et m'y noyer. Elle verra si elle m'aime quand je serai morte.

J'entends prononcer mon nom. On m'appelle. Le temps ne s'était donc pas arrêté. Je me lève et me dirige vers l'estrade comme dans un rêve. Tout d'un coup je suis devant le piano à queue. Je suis même assise, déjà, sur le tabouret. J'ai le clavier devant les yeux, vaste plage noire et blanche. Jamais de ma vie je n'ai vu une telle chose. Je lève les mains ; elles sont méconnaissables, elles aussi. Je n'ai pas la moindre idée de ce qu'il faut faire pour s'en servir. Je suis comme hypnotisée par la juxtaposition de tous ces objets insolites : le tabouret, le clavier, les mains. Celles-ci se mettent à bouger de leur propre volition. Les touches semblent résister. Mes poignets sont de la gélatine. Cela avance comme ça, cahin-caha ; une bonne moitié des notes est inaudible. La fin s'approche. Il reste l'accord final à trouver, ensuite je pourrai me noyer. Les mains sont suspendues au-dessus du clavier. Elles tombent. Non, ce n'est pas ça. Elles sont tombées à côté. Voilà, c'est ça. Il me semble que les applaudissements sont plus forts que pour les autres. Je regagne ma place.

A la fin j'aurai une note assez bonne – je ne serai pas la première, je n'aurai pas de prix, mais quand même une mention "très bien". Maman sera fière de moi.

Ces applaudissements, j'ai mis du temps à les comprendre, mais en fait c'est évident : les adultes voulaient voir souffrir les gosses, et j'avais excellé dans la souffrance. J'étais l'incarnation de leur impuissance et de leur terreur de l'échec. J'ai eu "très bien" parce que j'avais été à ça de craquer et que je n'avais pas craqué tout à fait. Pas ce jour-là. Ça a encore continué pendant dix ans. Avec une parenthèse à l'âge de treize ans – la puberté ça rend les enfants capricieux – où j'avais voulu interrompre mes leçons de piano classique et commencer à faire du jazz. Ma mère, on aurait cru que le ciel lui était tombé sur la tête. "Après tout l'argent que j'ai dépensé depuis des années pour que tu aies le meilleur professeur de Genève ? Tu habites encore dans cette maison, ma petite dame, et tant que tu habiteras ici tu n'en feras pas qu'à ta tête." Donc, jusqu'à dix-sept ans. Et là, c'est sur ma tête à moi que le ciel s'est effondré.

"Tu pourrais donner tes premiers concerts dans les maisons de retraités des alentours. Ça ne te rapportera pas d'argent, mais ça t'habituera à jouer devant un public, toi qui es paralysée à chaque fois qu'on entre dans la pièce où tu répètes. Ce sera un public indulgent, et en plus ça apportera un peu de soleil dans leur vie." Premier concert. Des couloirs vert pâle, où à travers chaque porte entrouverte j'aperçois des monstres. Des hommes et des femmes seuls, en train de crever de solitude, tout recroque-villés : des verrues, des moisissures. J'arrive au salon déjà appréhensive, et là, une dizaine de vieilles me guettent. Elles me montrent le piano, c'est un Robert Stather ; j'en connais la sonorité nasillarde. Qu'est-ce que je fais ici ? Mais – toujours aussi soumise – je traverse la pièce et je prends place. Ce sera la *Valse brillante* de Chopin. Je démarre sur un *tempo* un petit peu trop rapide. Tant pis. Elles vont voir. Je me débrouille dans les passages difficiles. J'essaie de me souvenir que tout cela fait quelque chose de *beau*, que nous sommes là pour vivre ensemble *la chose la plus sublime du monde*, la musique. A quoi avait pensé Chopin en écrivant cette valse ? Certai-nement pas aux malheurs qu'il préparait pour tous les pianistes à venir. Peut-être était-il à Majorque avec George Sand, malade et grelottant dans un château sans chauffage, et écrivait-il la *Brillante* pour qu'ils soient transportés dans un ailleurs splendide, miro-bolant... Soudain, au milieu d'un *pianissimo*, une des vieilles a dit distinctement : "Ma nièce sait jouer ce morceau mieux que ça !"

Je me suis arrêtée net, je suis partie, je n'ai plus jamais donné de concert. Parce que c'est ça, Nathalie, c'est ça le vrai sens des concerts de nos jours. La musique classique a été complètement pervertie, elle est désormais à l'image de notre société névrosée. Toi qui aimes écouter "La tribune des critiques" à la radio le dimanche après-midi, ne comprends-tu pas le sens de ces mots ? Une *tribune* ? des *critiques* ? Encore des juges qui vont pouvoir donner libre cours à leur sadisme ; encenser l'un pour mieux enfoncer l'autre ; des passés maîtres de l'opprobre musical. N'entends-tu pas comment ils parlent ? "Ah oui, cette aria de Philippe II dans *Don Carlos*, chantée par Boris Christoff, j'ai des larmes aux yeux, c'est tout simplement divin. – Moi aussi, je suis ému, indiscutablement. – Et ensuite, nous allons écouter cet extrait, nettement plus gai que le précédent..."

Personne n'entend rien. Ni les parents bourreaux, ni les enfants martyrs, ni la tribune des critiques, ni les personnes dans cette salle. Tous se distraient à jouer – non pas la musique, mais le jeu monstrueux de la mélomanie – alors que leur véritable manie c'est la souffrance des musiciens.

Je me suis dit que le jazz, au moins, c'était de la musique vivante, la liberté d'expression totale, la musique hors la loi. Mais pour moi, malheureusement, c'était trop tard. Je porterai toujours une robe blanche, chaque fois que je m'assieds devant un piano. Je donnerais volontiers mes deux jambes pour pouvoir improviser comme Keith Jarrett, mais ça ne vient pas, et ça ne viendra jamais. Ce que j'ai dans les doigts, ce sont les tierces coulées et les *appoggiature* de mon enfance ; je n'arrive pas à m'en défaire. Plus que tout au monde je voudrais, quand des amis viennent chez nous, les faire frissonner à des sonorités inouïes : des rythmes syncopés, des accords en mauve et vert... Mais je sais que ce qui sortirait ce serait les morceaux classiques que je connaissais déjà par cœur à dix-sept ans, avec des fautes en plus. Des *incorrections*. Flagrantes. Ce n'est pas la peine.

C'est vrai que tu as une belle voix, Nathalie. Ça me fait plaisir de t'entendre quand tu chantes parfois à la maison. Mais faire carrière dans la musique, ce n'est pas possible. Tu te rendrais malheureuse. Crois-moi. Tu serais obligée de prostituer ta voix, de la mesurer contre d'autres voix, de sacrifier ton amour de la musique pour réussir. C'est comme ça. De toute façon, c'est mieux de continuer à chanter comme un oiseau sur la branche, plutôt que d'astreindre tes cordes vocales à toutes sortes d'exercices rébarbatifs. J'essaie simplement de t'épargner les peines que j'ai dû endurer. Dès que tu te mettrais à écouter ta voix pour savoir si elle est meilleure que celle d'une autre, tu n'entendrais plus du tout sa mélodie. Même pour les chanteuses de rock c'est la même chose, je t'assure que c'est vrai, c'est un monde impitoyable. Il n'y en a pas une qui n'ait pas besoin de se droguer tous les soirs pour tenir le coup. Là aussi, les gens sont avides de souffrance : tout ce qu'ils n'osent pas assumer de leur propre désir de mort, ils s'en débarrassent en payant quatre cents francs pour aller voir Janis Joplin ou

Bette Midler se tuer à petit feu. Cette fois-ci, ne va-t-elle pas enfin craquer ? La Voix ne va-t-elle pas se décomposer en gémissements ? Nathalie, ma chérie, c'est vrai ce que je te dis. J'ai fait l'expérience, ça m'a laissée atrophiée ; je veux que toi tu sois une femme plus épanouie.

VARIATIO X

Perte

Au comité de rédaction tous les matins à dix heures, c'était le *brainstorming*. Sylvère commençait avec un événement de politique intérieure ou étrangère, et ça fusait dans tous les sens. Notre ardeur était sans limites, comme notre ingénuité. L'équipe grandissait à vue d'œil ; Sylvère embauchait tout le monde : l'ami de l'ami, la sténodactylo au chômage qui souhaitait se recycler comme claviste au *Contretemps*... Nous étions ivres de notre projet et nous voulions tout tout de suite. Avant même le numéro zéro, nous avions ouvert une cantine, ainsi qu'une crèche pour les enfants. Nous restions souvent dans les locaux jusqu'à deux heures du matin, à lire les dépêches de l'AFP et à boire de la bière. Quand Sylvère nous a attribué des bureaux, c'était comme une grande famille qui vient d'emménager dans une nouvelle maison : ici sera ta chambre, là la tienne... On s'amusait à se passer des coups de fil les uns aux autres pour voir comment fonctionnait l'interphone. Après, il a fallu peindre les bureaux et pendant trois jours ça a été l'hilarité totale : tous nous étions costumés en blanc et barbouillés comme des gamins dans un tas de sable. Lili était particulièrement gamine, c'est le seul moment où je l'ai vue comme ça, avec une sorte de clarté dans le visage ; elle s'était mis une casquette blanche sur les cheveux et elle courait d'un bureau à l'autre en poussant des petits cris de joie : "Quelle belle affiche !" "Comment t'as fait pour avoir cette couleur abricot ?" Et même Sylvère, qui brûlait de démarrer la parution du journal, n'a rien fait pour couper court à nos enfantillages.

Ça fait très longtemps que je n'ai plus pensé à cette époque. A peine si on peut l'appeler une époque, tellement ça a été éphémère. Rétrospectivement, ça paraît plutôt comme un hoquet après la grande bouffe de 68. On croyait pouvoir montrer qu'il y avait un gauchisme intelligent, lucide et drôle, diversifié ; je ne sais plus ce qu'on avait mis d'autre dans l'éditorial du premier numéro. Sylvère s'est délesté de plusieurs centaines de millions en quelques mois, et le Contretemps a mordu la poussière quinze jours après son lancement. Le jour de la faillite, Sylvère est allé de bureau en bureau pour nous annoncer que ce n'était pas possible de continuer dans ces conditions, et qu'on allait "interrompre" la parution pour ressortir après un temps de réflexion. Nous sommes allés dîner à cinquante dans les Halles, invités par lui ; une sorte de festin d'enterrement. Quelle triste gaieté autour de cette table… ça me surprend à quel point l'évocation me rend nostalgique. Je me souviens exactement du goût qu'avait le sancerre, je revois les montagnes d'huîtres, je réentends nos babillages… Les vacances en colonie prenaient fin et on allait devoir se séparer, chacun allait rentrer chez soi. Le rêve de la communauté d'esprits idéale se dissipait à la brutale lumière du jour giscardien. On s'est réveillés seuls de nouveau, et on a poursuivi comme on a pu. Quelques-unes des filles ont rejoint des équipes de journaux féministes, se résignant à vivre encore quelques années de militantisme dans le bénévolat. Jean est allé se trouver une colonne de critique musicale au *Temps* – encore grâce à Sylvère, qui a tout de suite rallié les rangs du journal de son père ; Lili, qui devait coordonner les pages "Culture", s'est retirée dans sa coquille-clavecin qu'elle avait délaissée depuis l'adolescence… D'autres sont allés droit sur le divan. Moi je suis retourné à mes mots, la mort dans l'âme.

Nous avons vieilli. Pas de manière dramatique – ce n'est pas encore la scène finale de la *Recherche du temps perdu* – mais, enfin, nous vieillissons. Je trouve cela attendrissant de voir que Lili a maintenant quelques cheveux blancs parmi les noirs. Sylvère vieillit bien : il sera le rédacteur-en-chef-jeune-et-dynamique pendant des décennies encore. Jean commence à prendre du bide, on ne l'aurait jamais cru. Quant à Pierre : toujours aussi tombeur. Je me demande s'il est encore amoureux de Lili. C'était quelque chose, de les voir s'entre-dévorer. J'ai conseillé à Lili de le quitter, une fin d'après-midi qu'elle était venue chez moi pour faire l'amour.

"A quoi ça rime, cette liberté sexuelle que vous vous accordez ? Comment pouvez-vous croire vous aimer, quand l'un et l'autre vous désirez tout ce qui bouge autour de vous ? – Je ne sais pas, je ne sais pas – la tête dans l'oreiller – je ne me souviens pas. Ça a quelque chose à voir avec Fourier. Il y a la relation pivotale, et puis des papillonnages autour ; il paraît que c'est ce qu'il y a de mieux pour conserver le couple." Elle rigolait d'une façon qui n'était pas tout à fait marrante. "Merde, j'ai dit. Viens t'installer ici. – Ça va pas, non ? Comment je pourrais vivre avec un homme qui me bat ? – Qu'est-ce que tu racontes ? Je ne te bats pas. – Si, chaque fois qu'on fait l'amour tu me tapes sur les fesses, ça me fait mal. – C'est vrai ? Je ne le fais pas exprès. Est-ce que tu veux me frapper maintenant pour te venger ? – Non. Je veux que tu me racontes l'histoire des trois vieilles princesses qui tombent amoureuses du jeune homme. – D'accord, mais seulement si tu me promets de ne pas t'endormir avant d'avoir entendu une phrase de plus que la dernière fois. Tu te souviens où on en était ? – Oui : celle qui a réussi à rajeunir vient d'expliquer à ses sœurs qu'il suffit de se faire raboter !" Elle a ri comme une petite fille. "C'est ça. Maintenant, ferme les yeux et je recommence tout. Il était une fois trois vieilles princesses…" C'est vrai qu'elle s'endormait systématiquement, comme par enchantement, chaque fois que je racontais cette histoire. Elle ne dormait jamais assez, elle avait peur que le temps passe sans elle. Se scrutant dans la glace au réveil, alors que la lumière mauve du couchant infusait la chambre : "Tant que c'est des cernes et pas des poches, ça va."

C'est incroyable comme je m'en souviens bien. Il n'y a que la musique qui me donne une telle permission, dans le sens d'une "permission" militaire. Comme Lili, je suis aux prises avec le temps, happé par lui. Mais pour elle, c'est peut-être moins vrai depuis qu'elle vit avec Bernald Thorer. Nous n'en avons pas parlé. Pour moi, ça ne fait qu'empirer, ce sentiment que si je n'investis pas chaque minute de la journée, je pourrais très bien finir par ne rien faire. Je pourrais aller m'asseoir sur un banc public comme un clochard et regarder le soleil traverser le ciel de l'est à l'ouest, les mamans avec leurs bambins se succéder, les gamins grandir, les petites filles devenir des jeunes filles, enfin des mamans à leur tour... c'est terrifiant. Alors je m'enferme chez moi, je vérifie que j'ai tout ce dont j'ai besoin, les carnets reliés non quadrillés, les feutres les plus fins, du café, des cigarettes... et puis commence la course contre la montre, l'angoisse qui me prend à la gorge, me fait haleter et me fait écrire. C'est la seule chose qui compte et c'est incroyable à quel point je le traite comme un travail. Je pointerais à l'usine, je ne serais pas plus maniaque du décompte de mes heures. Un ami me téléphone, je regarde ma montre avant de répondre ; ça n'a aucun sens. Une soirée se prolonge, je me dis que je n'arriverai pas à me lever le lendemain pour travailler, comme si un patron m'attendait. Objectivement, bien sûr, j'ai tout mon temps. Personne n'attend rien de moi à date voulue. Au contraire, on adore l'image des artistes qui se débattent interminablement dans les affres de la création. Mais si je ne consacre pas un certain nombre d'heures par jour à l'écriture je ne m'autorise pas à aller par exemple au cinéma. Exactement comme un catholique qui n'a pas le droit de communier sans s'être confessé au préalable. Parce que *si un jour* se passe sans que j'écrive, il n'y a pas de raison que *tous les jours* ne se passent pas de la même façon : si je relâche mon attention, le temps pourrait s'accélérer derrière mon dos, il pourrait se mettre à passer par sauts et par bonds, et des années entières disparaîtraient dans la trappe de ma distraction momentanée.

Deux choses échappent à cette logique infernale, deux choses seulement : l'amour et la musique. Pour eux, et pour eux exclusivement, j'accepte de perdre du temps. Parce que ce sont des domaines hors langage. L'un et l'autre tentent de "dire quelque chose", mais l'un et l'autre s'épanouissent entièrement dans cette tentative, cette *intention* de dire ; ils sont tributaires du langage mais simultanément en deçà et au-delà de lui. (Lili dit la même chose quand elle dit qu'ils sont intraduisibles.) Et s'ils m'octroient ce privilège exceptionnel – celui de vivre dans le présent –, c'est parce qu'ils sont, malgré tout, par définition, circonscrits dans le temps. On ne peut pas baiser indéfiniment, et chaque pièce de musique a un début et une fin. Je suis sécurisé parce que je sais d'avance que l'évanouissement du langage sera temporaire.

Ainsi, plutôt que la *Recherche du temps perdu*, ce concert serait la recherche de la perte du temps ?

Cela dit, je n'aurais jamais pu devenir moi-même musicien. Nous en avons parlé plusieurs fois avec Lili : quelle est la part de créativité de quelqu'un qui ne fait que réaliser la création de quelqu'un d'autre ? Elle dit que sans les acteurs, les pièces de théâtre ne seraient pas du théâtre, et que, *a fortiori*, sans les instrumentistes, la musique classique resterait "lettre morte". C'est certain, et je conçois le plaisir qu'on peut avoir à faire éclore la beauté potentielle renfermée dans le silence des partitions. Mais, pour moi, c'est impensable : à la fois trop exigeant et pas assez. Je ne pourrais jamais m'imposer les rigueurs de la performance, je suis déjà trop instable. Je n'admettrais pas qu'on m'oblige, à tel moment, d'être en pleine posses-sion de mes forces devant les autres ; c'est aussi pourquoi je n'ai jamais aimé enseigner. Je n'admet-trais pas qu'on puisse juger, *dans le temps*, de ma performance, et la comparer à celle de X ou Y. On ne peut pas juger l'écriture comme ça, selon des critères objectifs. Ce qui n'empêche pas, bien sûr, les critiques d'aligner leurs imbécillités. L'autre jour, un article dans *le Temps* disait que mon der-nier livre se situait à mi-chemin entre l'avant-garde et le rétro. En d'autres termes je fais du surplace, je pédale dans le yaourt. Mais au moins ce crétin n'avait pas le droit d'être dans ma chambre, à épier par-dessus mon épaule pendant que j'écri-vais… Ce que je souhaiterais par-dessus tout, pour mes livres, c'est que les gens qui s'aiment aient envie de se les lire à haute voix. Comme les contes d'autrefois. Les familles autour d'une cheminée, les amants au lit ; ça, ce serait vraiment bien...

VARIATIO XI

Acide
et non, le charme est mort. Cette maison était un de
mes lieux avant, un de mes havres. Plus maintenant.
*Lili how can you betray me like this ? I thought
you understood.* Nous en avons parlé si souvent,
tu ne te rappelles pas ? Tous, ils me trahissent. Tu
m'écoutais, tu hochais la tête, tu disais moi aussi,
moi aussi j'ai peur, moi aussi ça me paraît grotesque
la façon dont on vit la vie, ça me paraît absurde
– *Nobody else has ever given me that feeling of
not only understanding everything I said but giving
me the courage to express it, the courage to believe
it wasn't just baby whinings but adult agony* –,
je te disais que je me sentais trahie même par les
philosophes de l'absurde, Kierkegaard, Sartre,
Ronald Laing, je leur en voulais d'avoir été au fin
fond de cette horreur, la nôtre, le non-sens, et puis
d'être remontés tranquillement, comme quand on
donne un coup de pied au fond de la piscine, pour
l'écrire et le publier et s'en servir pour devenir
célèbres. Et maintenant c'est toi Lili qui me trahis
et qui joues à épater les bourgeois. C'est ça tes amis

maintenant : les *burjoys* ? Avant que je ne parle le français j'aimais bien ce mot *burjoys* ; on jouait avec mon frère à prononcer les mots français les plus sophistiqués avec un accent anglais épouvantable : *"You're looking awfully svelt and deboner today, ma chair."* Quand j'ai vécu à Paris, j'ai cessé de me servir du *r* anglais et ça me manquait ; je rentrais parfois chez moi en faisant *rrrr-rrrr* pour ne pas oublier comment le dire ; je t'en parlais et tu me disais que ce serait bien de cultiver mon accent américain, que ça faisait chic ; ça me paraissait fou que l'anglais puisse paraître chic à qui que ce soit. *For me it's vulgar, my mother tongue, my mother's tongue, her thick lips, her tongue that twisted and turned and lashed out at me, my mother's mouth, red lipstick that leaves spots, white teeth, the strands of saliva between the upper and lower lips, how to tear the English language apart, tear my tongue to shreds, but the words will always fall right side up like a cat and people will always keep on going, chin-up, chin-chin, if it's not valid keep on going anyway, find out what you have in common, homonym,* comment, commère, comme mère, mare, cauchemar, mare au diable, diabolo menthe, mentir, m'en tirer, m'étirer, métier, quoi qu'ils fassent ils ont toujours raison de le faire, les ouvriers, les artisans, les businessmen, les chefs d'Etat, les intellos, moi je dirai *jamais* ça, je saboterai d'abord. Te rappelles-tu Lili comme on disait que les *convaincus* étaient toujours des *vaincus* quelque part ? qu'ils avaient dominé et étranglé tous

98

leurs doutes ? C'étaient des cons, vaincus : beaucoup plus vaincus que les suicidés. N'est-ce pas ?

Combien d'étages ? C'est la seule question que j'avais envie de te poser quand ton amie s'est jetée par la fenêtre. Combien d'étages faut-il pour se tuer ? Pour sortir de ce tic-tac de l'horloge du cœur qui nous rend folles ? Je me souviens que tu me parlais de son internement en HP (chez nous ça s'appelle le *loony-bin*) : sa régression, son hébétement, la métamorphose alarmante de son corps : elle s'enflait de jour en jour, comme pour mettre un écran de chair entre elle et le monde (chair qui allait fondre vite maintenant, et céder la place définitivement à l'ossature). Elle a simplement franchi plus vite que toi ou moi les étapes du désespoir, aidée en cela par les psychiatres, les médecins, et par sa mère, confrontée à ses échecs et forcée de mettre le nez dedans. Tu as vu sa mort s'approcher, s'installer lentement, progressivement. A la fin, elle a couru à sa rencontre (ce n'était pas un suicide politique, les journaux n'en ont pas parlé le lendemain). N'avait-elle pas raison de ne plus vouloir regarder la douleur qu'elle infligeait aux autres, et ne plus pouvoir supporter celle qui lui était infligée ? Pourquoi s'obstine-t-on dans ce raisonnement d'alpinistes – Je vis la vie *parce qu'elle est là* – exactement comme si la vie était une montagne, avec une base et un sommet, comme si elle pouvait être "ratée" ou "réussie". Jusqu'à quelle hauteur faut-il grimper avant qu'on ait le droit de renoncer ? Combien d'étages ?

Tu ne te tueras plus, Lili, ça se voit tout de suite. *You're leaving me alone. You're settling down into life. You're letting time go by. Don't you remember our acid trip ? How can you give a concert once you've lived through that ?* Je ne comprends pas. Tu avais vécu avec moi l'expansion à l'infini de chaque seconde. Nous avions partagé un sandwich au fromage en nous émerveillant de chaque bouchée. C'est *cela* la nourriture qu'on avale sans y penser, accoudée au comptoir entre deux rendez-vous ? Ton vin rouge, nous l'avions appelé le nectar des déesses. Tes coussins nous semblaient somptueux et nous avons passé une éternité à nous extasier devant la beauté de leurs motifs. Toucher le corps l'une de l'autre était un miracle. Tu avais mis le *Magnificat* de Bach sur la stéréo et chaque note résonnait avec un sens terrible, cela nous secouait jusqu'aux entrailles, nous nous sommes accrochées l'une à l'autre, tes doigts m'ont parcouru tout le visage, tu m'as dit : je voudrais savoir jouer de ton corps comme on joue de l'orgue, je voudrais connaître tous tes jeux. J'ai entendu : tous tes je. J'ai mis ma tête entre tes genoux et je t'ai regardée d'en bas, tu étais belle, tu étais affreuse, tu étais monumentale, j'ai caressé de ma langue ton clitoris, tu en mourais, je pensais ne pas pouvoir supporter l'intensité de cette chose : la vie : nous étions vivantes, c'était trop, trop fort, nous étions enfin des corps, avec des organes, de la salive, de la cyprine, son odeur salée dans ton vagin, tu tremblais de la tête aux pieds, même tes bras tremblaient en me caressant le dos, tes bras si minces, si fragiles, habités par la vie cette chose si mince et si fragile. Est-ce possible que tu aies oublié cela ?

Je dois me battre tous les jours pour ne pas l'oublier. Je vais travailler dans des bureaux, je regarde les gens autour de moi, je me dis : est-ce qu'ils savent seulement qu'ils sont vivants ? J'ai peur même de regarder les titres des journaux : encore des hommes qui se tuent et se tuent et se tuent, par milliers, par millions, depuis toujours, pour rien. Parfois je n'en peux plus. L'hiver dernier il y a eu un jour pire que les autres – il suffit parfois qu'un garçon de restaurant fasse une remarque sarcastique pour que je fonde en larmes –, j'ai appelé Dominique à onze heures du soir, je lui ai dit : "Il y a un avion pour Montréal à minuit, viens me chercher à l'aéroport, amène ta guitare, j'ai un peu de LSD. – Mais tu dois pas travailler demain matin ? – Si, mais seulement à neuf heures, je reprendrai le vol de sept heures trente." Alors, sur un banc du parc Mont-Royal, nous avons sucé les minuscules morceaux de papier buvard imbibés de rose et nous avons regardé la grande ville étendue à nos pieds se muer lentement en féerie. Les lumières dansaient devant nos yeux et semblaient former des mots ou des signes fantastiques qu'il nous fallait déchiffrer. Dominique a commencé à jouer une chanson des Indiens du Canada que j'adore :

Oh, the moon shines bright on pretty Red Wing
The night winds sighing

The night birds crying
And far, far away her love lies sleeping
While Red Wing's weeping
Her heart away.

La lune était un peu orangée et on commençait à sentir le froid. Il y avait de la neige par terre, de la vieille neige salie, mais on n'avait pas envie d'être dans un appartement. Vers quatre heures du matin on a décidé de marcher un peu ; on avait peur de ne pas pouvoir juger du froid qu'il faisait, et qu'on nous retrouve sur le même banc le lendemain matin, comme une sculpture de glace intitulée *Mort de la musique.* Sur le sentier nous avons rencontré un vieux monsieur, pas vraiment un clochard mais enfin quelqu'un qui passait la nuit dans un parc avec une bouteille de gros rouge. Nous avons parlé avec lui et tout de suite nous l'avons aimé très, très fort. C'était un Indien, justement. Il m'a demandé de jouer quelque chose sur ma flûte. Je n'en avais pas encore joué. Je l'ai sortie de son étui, elle me semblait enchantée littéralement, j'avais l'impression que quand les trois morceaux seraient assemblés, ce serait un bâton magique omnipotent. Elle luisait comme si elle était éclairée de l'intérieur, comme si son métal provenait de la caverne d'Aladin. Je l'ai pressée contre ma bouche en tremblotant : j'osais à peine croire que j'avais, moi, le droit de la faire chanter. L'air était tellement froid que mes lèvres mouillées se sont tout de suite collées au métal. Je me suis essuyé la bouche et j'ai recommencé. Sans réfléchir du tout à ce que j'allais jouer, j'ai produit les premières notes d'une chanson enfantine que ma tante m'avait apprise :

Christopher kneels at the foot of his bed,
Lays on his little hands little gold head

une histoire complètement gnangnan d'un petit garçon qui dit ses prières le soir avant de se mettre au lit. Mais je n'ai pu jouer que deux ou trois mesures ; la musique m'émouvait trop, les notes étaient si douces que c'en était intolérable. Je me suis excusée auprès de Dominique et de l'Indien : "Ce n'est pas moi, c'est elle qui fait ça" – c'était elle, la flûte, qui produisait ces sons tellement riches qu'ils me semblaient relever de l'interdit.

Tu m'as dit que toi aussi, Lili. Tu m'as dit que quand tu jouais, il fallait que tu t'efforces de n'avoir qu'une attention flottante – comme celle des psychanalystes –, et que, du coup, tu perdais tout plaisir. Mais que si tu écoutais, tu risquais de te perdre, toi, dans la beauté de chaque accord, ou bien de ralentir, fascinée par tes propres doigts, au milieu d'un passage *prestissimo*. Ne te rappelles-tu pas ? Mais Lili : où es-tu ? Vas-tu me laisser encore plus seule qu'avant ? *There are so few of us already, so very few.*

VARIATIO XII

Paix
Elle ne respire même pas entre chaque fragment.
Cela ne se voit pas, mais elle est tendue comme
les cordes de son clavecin. Je l'ai vue l'accorder
tout à l'heure. Je suis arrivé en avance. Elle mani-
pulait une sorte de clé pour ajuster la longueur de
chaque corde. Elle vérifiait d'abord les octaves,
ensuite les autres intervalles, pour voir si leurs
vibrations coïncidaient. Elle était toute seule dans
la chambre. Elle ne savait pas que je l'observais.
Je l'ai vue devenir de plus en plus tendue. Elle se
parlait à elle-même : "Ça ne va pas, ça ne va pas."
De temps à autre, elle enlevait une des plumes pour
l'affiner avec une lame spéciale ; elle répétait : "Je
n'y arriverai pas." Elle s'arrêtait, se redressait et
respirait profondément. Recommençait. Quand le
grand jeu était enfin terminé, elle l'a comparé avec
le petit. Il y avait entre les deux un léger décalage ;
chaque unisson grinçait, presque imperceptible-
ment. On aurait dit que ce grincement produisait sur
elle l'effet d'une douleur physique. Comme si les
plumes pinçaient non pas les cordes de l'instrument,

mais ses nerfs à elle. Elle fronçait les sourcils de plus en plus. Après, son mari est arrivé et je suis sorti sur le balcon. Il y avait des tables préparées, avec des bouteilles de vin frappé et des plateaux de petits fours. Tout cela lui allait si mal.

Je ne supporte pas de la savoir malheureuse. Elle arrive à la fin de chaque variation comme à la fin d'une épreuve. Elle fait tout pour dissimuler son effort mais je le vois. Cette façon de poser les mains sur les genoux pendant la pause, comme pour les cacher. Comme si elles venaient de commettre un crime. Parfois elle laisse passer dix bonnes secondes, parfois c'est presque *attaca*. Dans l'un et l'autre cas, cela ressemble à une attaque : elle revient dans l'arène pour un autre *round*. Mais personne n'est là pour lui essuyer le front.

Je voudrais aller la prendre par la main – je suis sûr que ses mains sont froides – et l'emmener loin d'ici, sans dire un mot. Viendriez-vous, cette fois, Liliane ? Votre nom est toute la musique dont nous aurions besoin. Vous n'avez pas à affronter vos démons et à leur livrer ce combat à mains nues. Nous quitterions la pièce sans une pensée pour tous ceux qui seraient restés là, interloqués, cloués à leur chaise. Nous marcherions longtemps dans les rues sans nous parler. Je ne tiendrais que sa main, sans lui mettre le bras autour de la taille. Je la ferais s'asseoir sur un banc, je prendrais ses mains entre les miennes et je les frotterais. La raideur de ses doigts commencerait à se dissoudre. Elle se remettrait à respirer. Je la sentirais, petit à petit, s'ouvrir à la nuit d'été. Vous souvenez-vous, Liliane, il y a des étoiles, même à Paris. Vous aviez oublié. Elle regarderait le ciel et son cou blanc se découperait contre l'ombre des maisons. Elle frissonnerait.

Venez.

Dans ma maison elle s'avancerait comme une somnambule. Dans ma maison, il n'y a pas de musique. Les fenêtres restent toujours ouvertes sur la cour. Nous entendrions les bruits de la nuit. Vous souvenez-vous, Liliane, il y a des oiseaux, même à Paris. De temps à autre, un criquet. Je mettrais les mains sur ses épaules. Nous resterions ainsi, sans bouger, très longtemps, à écouter les oiseaux et la ville. Je lui parlerais des pigeons. Les gens les méprisent parce qu'il y en a trop, parce qu'ils sont devenus le cliché de toutes les places publiques. Mais autrefois c'étaient les oiseaux de la paix. On les appelait des colombes. Des colombes, Liliane, entendez-vous ce mot ? Et leur roucoulement d'amour est partout le même. *Coucouuuu, couuuu, cou, cou.* Partout dans le monde, ce rythme identique de leur désir.

Elle ne me répondrait pas. Je lui toucherais la nuque sous les cheveux. J'en sentirais les muscles noués. Je les masserais, doucement. Elle se tournerait vers moi. Elle me scruterait. Petit à petit, ses yeux aussi céderaient à la douceur. Je me tiendrais immobile jusqu'à ce qu'elle ait fini de me regarder. Je ne sourirais pas. Je ne lui parlerais pas. Cela durerait longtemps. Rien ne changerait autour de nous : les oiseaux, le vent léger. Enfin elle lèverait une main. Elle me frôlerait les cheveux, à peine. Ses yeux seraient devenus tristes. Non, Liliane, il n'y a rien de triste. Elle chuchoterait que si. Elle baisserait la tête pour appuyer le front contre ma poitrine. Elle murmurerait : comme vous respirez calmement. Comment pouvez-vous être si calme ? Je la ferais s'asseoir sur le sofa. J'enlèverais ses sandales et je prendrais ses pieds entre mes mains, comme tout à l'heure ses mains, pour les frotter. Vous n'avez pas peur, Liliane. Non, je n'ai peur de rien. Vous mentez. Oui. Je mens. De moi, vous n'avez pas peur. Non. De vous je n'ai pas peur.

Elle poserait ses deux mains sur ma tête. Nous resterions ainsi, encore longtemps, à respirer. Dans ma maison il n'y a pas d'horloge. Liliane ne porte pas de montre. La nuit serait éternelle, toujours pareille à elle-même, comme la chanson des colombes. Liliane serait nue à côté de moi et moi je serais nu. Liliane humerait mes aisselles, mon sexe et je me tiendrais immobile. Liliane soupirerait avec presque une plainte et je lui dirais : Je suis là. Nous sommes là. Elle dirait : Oui. Elle s'étendrait sur le dos. Je regarderais monter et descendre sa poitrine avec son souffle. Je placerais une main sur son ventre. Elle ne fermerait pas les yeux. Nous ne nous dirions pas comme vous êtes beau, comme vous êtes belle. Je placerais mon oreille contre sa poitrine pour écouter battre son cœur. Elle entourerait mes épaules de ses bras comme d'une couronne de fleurs. Nous nous tiendrions ainsi, encore. Notre nudité respirerait.

Le temps ne passerait pas. Liliane et moi ferions l'amour. Je la pénétrerais lentement. Elle ne fermerait pas les yeux. Je verrais sur son front et sur sa lèvre supérieure perler des gouttes de sueur. Je mettrais mes lèvres contre ses lèvres pour partager cette humidité. Mon sexe serait entouré de sa chaleur, palpé par elle. Liliane mettrait ses mains sur mes hanches et sur mes fesses. La lenteur de nos mouvements serait sidérante. Nos ventres se chercheraient. Il n'y aurait plus de mots du tout, mais des sons, les sons énigmatiques de l'amour humain. Liliane serait à côté de moi et je serais encore en elle. Nous nous regarderions dans les yeux. Je la verrais s'ouvrir de plus en plus à la nuit, et à elle-même, et je tremblerais de la voir enfin comme cela, et enfin il ne resterait plus de peur nulle part. Liliane me presserait contre elle. J'irais au plus profond d'elle en la regardant et en l'aimant. Les sons descendraient de plus en plus bas dans sa gorge. Enfin ce serait l'ouverture, la nuit embrassée, le vide tant craint tant désiré : nous serions précipités par-dessus le bord des mots ; nous hurlerions d'être ces corps hurlants et de ne rien savoir d'eux.

Liliane. Liliane et son clavecin. Liliane Kulainn et son mari Bernald Thorer. Ce n'est pas vrai. Vous vous mentez. Combien de temps encore, cette contrainte mensongère ? Combien de temps allez-vous payer votre dîme de tristesse ? Vous vous prétendez blasée, à cause de toutes les amours ratées, tous les espoirs bafoués. Mais cela n'a rien à voir avec vous, et vous le savez bien. Vous n'êtes pas cet être revenu de tout que vous parodiez si souvent. Vous n'êtes pas cette femme mûre qui fait gamine, vous n'avez pas d'années. Vous n'êtes pas la fille d'un homme qui se serait appelé Kulainn, ni l'épouse d'un homme qui s'appellerait Thorer. Vous n'êtes pas madame. *Liliane.* Vous n'êtes même pas française, comme votre mère, et même pas irlandaise, comme votre père. Vous n'appartenez à aucun pays, vous n'appartenez à rien. A personne. Aucune cause. Je vous ai suivie très longtemps. Vous le savez. Vous savez que je suis seul au monde à aimer ce qui est vraiment vous.

Il vous est arrivé parfois de voir votre propre vie à travers mes yeux et vous l'avez trouvée dérisoire. Vous savez que vous trahissez ce que vous pourriez être : que vous faites, tous les jours, des concessions qu'au fond vous réprouvez. Les petits fours sur le balcon, ce n'est pas vous. La bonne pour accueillir les invités, ce n'est pas vous. Le collier de perles autour du cou, ce n'est pas vous. Où vous cachez-vous sous tout cela, Liliane ? Combien de temps encore vous cacherez-vous ?

J'attends. Le temps n'existe pas. Il a pris fin le jour où je vous ai rencontrée. Depuis ce moment, il n'y a plus eu de moments. Il y a eu une plage, et vous savez que c'est sur cette plage que je vous attends. Je ne demande rien. Vous ne me pardonneriez jamais de demander. Si, une fois je vous ai demandé une chose, et vous me l'avez accordée : ne pas me dire "je vous embrasse" au téléphone. Vous comprenez que vous n'avez pas à parler avec moi comme avec les autres. Votre sourire d'hôtesse et votre séduction d'artiste sont superflus. Vous comprenez que ma présence vous permet de vous taire. Ou bien de chercher et de trouver d'autres mots. C'est tout ce que je demande. C'est ce qui me fait savoir que vous avez confiance en mon amour.

La fatigue vous gagne petit à petit. Je la vois envahir tout votre corps. Vous redressez le dos pour vous en défendre, mais elle s'insinue entre les côtes et grimpe comme un reptile le long de la colonne vertébrale. Vos membres se raidissent contre elle. Vous oubliez tout, sauf qu'il faut encore tenir. Vous oubliez nos années de mots épars. Les bribes de votre enfance que vous avez arrachées aux ténèbres pour me les donner. Les cadeaux que je vous ai faits, et qui vous ont rendue joyeuse. Le caillou qui épousait la forme de votre paume. Les coquillages d'une perfection surhumaine.

Liliane, la perfection est surhumaine.

Ne l'avez-vous toujours pas appris ?

Liliane.

VARIATIO XIII

Insomnie

En général, ses *tempi* sont plus judicieusement choisis, c'est-à-dire plus lents, que ceux de certains autres interprètes. Cette fois-ci c'est même une fraction trop lent, mais il vaut mieux cela que la course effrénée d'un Glenn Gould. On m'a fait entendre cela une fois, croyant me faire plaisir, et même par courtoisie je n'aurais pas pu l'écouter jusqu'au bout. On aurait dit des chevaux au galop, fouettés par un charretier sadique. Et Gould poussait continuellement des grognements de *Sturm und Drang*, alors que ce morceau fut composé pour apporter de la tranquillité aux âmes en quête de sommeil. En 1742, l'année de sa composition, Bach avait exactement mon âge. Il a compris la requête de Keyserlingk comme nul autre n'aurait pu la comprendre. La progression des temps est calculée à la perfection : 3/4, 3/4, 2/4, 12/8, 3/8, 3/4, 3/8, 6/8, 3/4, 4/4, 2/2, 12/16, 3/4, 3/4, et ainsi de suite : tantôt deux temps forts par mesure et tantôt trois, mais toujours la même pulsation, le même cœur qui bat, du début jusqu'à la fin. La femme de Bernald a bien saisi cela, au moins. Ce n'est évidemment pas un prodige comme le jeune Goldberg lui-même ; elle joue le tout d'une manière un peu banale, un peu trop monocorde. L'important, comme le sait chaque insomniaque, n'est pas de se faire bercer par la réitération d'une thématique, mais au contraire de déclencher l'étincelle qui permettra de court-circuiter le courant de la pensée pour le brancher sur les ondes de l'inconscient. Or, les *Variations Goldberg* sont admirablement conçues pour produire cet effet : chacune d'entre elles constitue un petit univers imaginaire, avec ses propres lois et sa propre cohérence. Ici, par exemple, dans la treizième, il pourrait y avoir l'ombre d'un *rubato* après chaque croche pointée, afin de mieux faire ressortir les groupes de triples croches. Et les tremblements ne devraient pas être joués de la même manière d'une variation à l'autre : il serait parfaitement légitime, de temps en temps, de prolonger de façon audible la note perdue, et même d'accélérer jusqu'à six notes dans la main droite contre deux dans la main gauche, plutôt que de se contenter toujours de quatre contre deux. Il ne faudrait pas le faire de manière systématique, bien entendu. Le style de la femme de Bernald est précisément un peu trop systématique, un peu trop appliqué. Elle a une conception relativement étroite de la musique classique ; cela transparaît à chaque fois que nous en discutons. Pour une musicienne, elle témoigne d'une surprenante ignorance à l'égard de pans entiers de l'histoire de la musique. Bernald a une culture musicale infiniment plus étendue que la sienne, quoique sans doute aussi moins approfondie. Quand par exemple nous abordons le sujet de l'opéra, elle tombe dans le mutisme. Elle prétend n'aimer que la musique instrumentale ; et, même à l'intérieur de cette restriction, elle exclut la musique romantique. Lorsqu'on la prie de préciser, elle répond vaguement : "Le XIXe siècle" ; comme s'il était possible de rejeter, d'un seul revers de la main, Beethoven, Mendelssohn, Schubert, Schumann, Berlioz... Mais lorsqu'on lui demande si elle n'aime pas les *lieder* de Schubert, elle dit qu'elle ne les connaît pas. De plus, elle est victime de cette mode déplorable qui consiste à échafauder des analogies entre les différents domaines artistiques. Ainsi, pour elle, la musique d'avant le XIXe siècle correspond à l'architecture gothique, tandis que la musique romantique correspond à l'architecture baroque. Comme elle n'a jamais été enthousiaste des églises baroques, elle trouve logique d'éprouver du dégoût pour l'opéra. Mais si, avec Bernald, on lui fait remarquer qu'elle aime la musique baroque, elle ne manque jamais de changer de sujet. C'est décidément un personnage étrange que Bernald s'est choisi cette fois-ci. Mais cela ne m'inquiète pas : j'ai énormément de respect pour lui, et de toutes les façons je sais que pour moi n'importe quelle femme vue de près serait un personnage étrange. A l'exception de ma mère naturellement, mais quand je l'ai connue je n'avais pas encore la faculté de jugement ; donc tout ce qu'elle faisait me semblait, obligatoirement, normal. Du reste, la conception que chacun se fait de la normalité ne provient-elle pas du même phénomène : l'instance idéale et totalisante que représente l'aire maternelle pendant l'enfance ? Ma mère était plus corpulente que la moyenne des femmes ; par conséquent les autres étaient à mes yeux toujours trop maigres. Ma mère me donnait trois fois par jour des pommes de terre, et encore maintenant un petit déjeuner sans *Kartoffel* me semble incomplet. La femme de Bernald n'a pas manqué de relever ce trait obsessionnel de mon caractère. Aujourd'hui à midi nous déjeunions ensemble tous les trois ; il y avait aussi le nouveau critique du *Temps* et son épouse. Bernald avait préparé des pommes dauphine, mais la conversation me les a fait oublier. Nous parlions de l'attribution à Gesualdo d'une partition *a cappella* qui a été retrouvée en Italie l'année dernière. Je me suis animé, j'ai démontré la parfaite invraisemblance de cette hypothèse ; le critique du *Temps* a fait semblant de me contrer, sous prétexte que dans un moment de moindre inspiration ou de jeunesse inconsciente, Gesualdo aurait effectivement pu abaisser son talent jusque-là. Je me suis un peu laissé emporter et Bernald m'a fait remarquer que ce n'était pas la peine de gâcher ses pommes dauphine pour une partition vieille de quatre cents ans, ce chiffre serait-il hautement contestable. En effet, je me suis aperçu que les autres avaient fini de manger depuis un bon moment, et que mes pommes de terre étaient encore inentamées. Pour ne pas aggraver l'impression d'impolitesse que cela avait pu produire en me faisant attendre davantage, je les ai mangées avec une rapidité qui m'est inhabituelle. La femme de Bernald s'est moquée de moi, non sans méchanceté : "Mais Franz, vous n'aviez même pas faim, puisque vous aviez déjà mangé votre dessert ! Personne ne voulait vous forcer à les manger." Je me suis joint au rire général ; il est fréquent qu'on s'amuse de ma distraction. Mais on n'aurait sans doute pas compris si j'avais tenté d'expliquer qu'en l'occurrence, pour les pommes dauphine, je n'avais effectivement pas le choix.

Ma mère est morte maintenant depuis bientôt vingt ans, mais dans la cuisine je suis toujours conscient de sa présence. Je n'ai rien changé à la disposition des objets telle qu'elle l'avait décidée. Les serviettes sont dans le même tiroir, les fruits dans la même corbeille. Lorsque je rentre après une journée à l'université, il est essentiel que je retrouve la cuisine dans cet état : comme si nous devions prendre le repas du soir ensemble comme nous l'avons toujours fait. Je suis pour cette raison extrêmement réticent à accepter des invitations au restaurant : il me semble que s'il n'y avait pas de pommes de terre au menu, cela représenterait une trahison de ma mère. Et comme elle n'est plus là pour me réprimander, la transgression de sa règle ne m'apporte strictement aucun plaisir. Ainsi, je préfère passer mes soirées dans la bibliothèque chez moi, comme lors de son vivant. Elle se mettait au lit toujours vers dix heures et demie, et je restais debout pendant quelque temps encore, à feuilleter des livres dans l'appartement silencieux. Maintenant, hélas, ce n'est pas le même silence. Au lieu de protéger le sommeil de ma mère, il me rappelle avec brutalité son décès. Vers une heure du matin, je ne parviens plus à me concentrer sur mes lectures, et au lieu de m'assoupir je me sens de plus en plus éveillé. Je guette son pas dans le couloir ou sa voix qui m'appellerait. Il m'est même arrivé d'aller jusqu'à sa chambre pour m'assurer qu'elle n'était pas au lit, souffrante, qu'elle n'avait pas besoin de mon secours. J'ai allumé mais la chambre était vide.

Quand le silence devient trop insistant, je vais dans la pièce à musique. C'est une pièce sans fenêtres. Je l'ai insonorisée moi-même, y compris la porte, pour ne pas provoquer les plaintes de mes voisins. J'apporte avec moi plusieurs partitions de la bibliothèque. Elles sont rangées parmi les autres livres par ordre chronologique ; les auteurs vivants sont dans le couloir : je ne me résigne pas à installer des étagères dans la chambre de ma mère. Je ferme soigneusement la porte de la pièce à musique. Je prends les coffrets : sur chaque disque j'ai inscrit le volume optimal auquel il doit être écouté, ainsi que la prédominance des graves ou des aigus. Je m'assieds dans le fauteuil, installé à distance égale de chacun des quatre baffles. J'ouvre la première partition à la première page. La musique commence.

Le plus efficace pour invoquer le sommeil, depuis ce printemps, ce sont les symphonies de Mahler. L'année dernière c'était les *Nibelungen*. Parfois je sens immédiatement que j'ai commis une erreur dans le choix, et je change de compositeur après avoir écouté une seule face. Le plus souvent j'écoute au moins un coffret. L'*Orlando furioso* de Vivaldi. Les œuvres complètes d'Alban Berg. J'essaie de m'imprégner de tout le génie du maître. Sur la partition, je parviens à suivre plusieurs instruments à la fois : pas toujours tous, mais au moins tous ceux qui portent le thème. Je tourne les pages le plus rapidement possible. Le coin en haut de la page de droite est légèrement replié pour mieux permettre de le saisir.

La musique remplit la pièce entière. Elle est tout autour de moi, comme si j'étais le chef d'orchestre. Souvent je me surprends à frapper furieusement la mesure sur le bras du fauteuil, comme s'il s'agissait effectivement d'un pupitre de *maestro*.

Lorsque j'émerge exténué de la pièce à musique, la blancheur de l'aube est déjà perceptible. Je range les partitions dans la bibliothèque, ainsi que les livres que j'ai consultés plus tôt dans la soirée. Je gagne ma chambre, qui est située tout au bout du couloir. Le silence a été maté, et je suis comme pulvérisé par la musique. Si je parviens à prolonger cet état encore quelques minutes, le temps de me déshabiller, de mettre mon pyjama, d'accrocher mes vêtements dans l'armoire et de me laver les dents, je tomberai enfin dans un sommeil de plomb. *Schlaf' in himmlischer Ruh'*, mon cher Keyserlingk. Le morceau va se clore sur une tierce d'une simplicité divine, préparée par le *mi* bémol de la main gauche. Un rien de *ritardando* n'aurait pas été de trop.

VARIATIO XIV

Tumeur

Leurs visages ont changé, malgré eux, à la vue de la perruque. Liliane m'a tout de suite dit qu'elle m'allait bien. Mensonge. Bernald n'a rien dit. Mensonge aussi. Est-ce qu'on va continuer à me mentir jusqu'à la fin de ma vie ? Oui. Tout le monde. "Tu ne manges pas assez, Olga, tu maigris à vue d'œil. Allez, mange les chocolats, les cacahuètes, les gâteaux qu'on t'a apportés." Mensonges. Je bouffe comme j'ai jamais bouffé de ma vie. A la clinique on m'apportait un plateau toutes les quatre heures et j'avalais tout ce qu'il y avait dessus : le gras, les sauces, la purée, le pain et le beurre. J'ai jamais eu si bon appétit. "Tu viendras te reposer chez nous à la campagne, maman, tu guériras plus vite. Les enfants se font une joie de ta visite." Mensonges. Les enfants s'en foutent pas mal et moi aussi. Je ferai ce que je veux. J'ai toujours détesté la campagne, alors me dis pas ça pour soulager ta mauvaise conscience. Trouve autre chose. Débrouille-toi. Moi, j'irai où je veux. "Ma chérie, dis-moi ce qui te fait envie. N'importe quoi. Le prix n'a pas d'importance."

Mensonges. Le prix que tu paierais pour racheter ta cruauté, c'est très important pour toi. Et je suis pas ta chérie, pas plus maintenant que pendant nos quinze ans ensemble.

Quelles hypocrisies ignobles on voit ressortir dès qu'on parle de la mort. Comme des vers qui commencent à grouiller dans la viande, tout d'un coup, produits par cette même chair qu'on allait consommer. Eh bien non. Je vais pas m'écraser encore une fois, cette fois ce sera moi l'égoïste. Laissez-moi seule. Nom de Dieu, vous l'avez toujours fait ! J'ai envie de penser à moi. J'ai un certain nombre de comptes à régler avec cette pourriture de vie.

Bernald a dû être étonné de m'entendre parler comme ça la semaine dernière quand il m'a rendu visite à la clinique. Mes cheveux tombaient par poignées et on m'avait pas encore apporté la perruque. J'étais hideuse. Lui, au moins, m'a pas fait la saloperie de me dire que j'étais ravissante. C'est le seul à m'avoir pas fait de saloperies, sur les années. C'est rare, un ancien amant qui te poignarde pas dans le dos. Alors je lui ai dit : "Ecoute-moi bien, mon petit garçon, maman va t'apprendre les choses de la vie." Et il m'a écoutée. Je lui ai dit combien j'étais contente. Tu te rends compte ? Je suis complètement libre. Je dois plus rien à personne. Je suis plus obligée d'être jolie, je me regarde même plus dans la glace. Je suis plus obligée de jouer à l'épouse, à la maman, à la grand-maman, je suis plus qu'une moribonde. Ils tremblent tous dans leurs bottines. Ça leur fait peur de me voir comme ça. Enfin je rue dans les brancards. Je peux dire des obscénités. Je peux injurier tout le monde, ils le mettront sur le compte de ma maladie. Ils veulent garder que des bons souvenirs de moi : Olga souriante, Olga soumise et Olga sacrifiée. Mais je vais les faire voler en éclats, ces souvenirs-là. J'ai encore le temps.

Bernald chialait. Il pleure souvent ces derniers temps. Mais je sentais qu'au moins c'était pas des larmes de pitié. Celles-là, je leur crache dessus. Je sentais qu'il comprenait, lui, ce que j'essayais de dire. Moi aussi je me suis mise à chialer. Quel soulagement ! j'ai dit. Crois-moi, Bernald, c'est un soulagement pour moi, de crever. Même si j'ai mal, c'est très bien de savoir que j'ai juste un mois ou deux. Je vais pas être obligée de traîner cette putain de vie jusqu'à la sénilité, et je suis pas non plus foudroyée par une crise cardiaque. Tu me comprends ? C'est très bien. C'est comme si tout d'un coup un voile s'était levé. Depuis cinquante ans je navigue à travers une espèce de nuage dégueulasse, et enfin je vais pouvoir m'en sortir. J'ai eu une putain de vie, Bernald. Vraiment, je suis contente de la quitter.

Bernald, c'est le seul à comprendre que je me plains pas pour me plaindre. Je me suis jamais plainte, jamais, jamais. Après tout, on pourrait m'écouter, rien que pour la nouveauté de la chose. Plutôt que de l'attribuer à la pourriture des cellules de mon cerveau. Je me suis jamais plainte ! Qu'est-ce que je m'en veux ! J'en veux à tout le monde. Surtout à toi qui m'appelles ma chérie pour la première fois depuis notre mariage. Je t'en veux pour tous les dîners silencieux en tête à tête. Je t'en veux d'avoir fait comme si mon fils n'existait pas. Je t'en veux pour toutes les scènes de jalousie que tu m'as faites. Tu m'as rendu la vie encore plus infernale qu'avant de te connaître, même si à l'époque j'étais une moins que rien. Serveuse de restaurant et tapineuse occasionnelle. Bien sûr tu m'as introduite aux plaisirs de l'argent, tu m'as fait connaître des pays exotiques, tu m'as présentée à des célébrités de la télévision et du cinéma. Merde. Chez nous, entre nous, qu'est-ce qu'il y avait ?

Du whisky. Ça oui, on était très doué pour se soûler la gueule ensemble. Du whisky, il y en avait, et en quantité. A part ça ?

Ton piano à queue. Ta "queue", comme tu l'appelais, avec ton bon goût habituel, pour faire rire nos invités. Ils te demandaient de jouer pour eux. "Allez, allez, pas de fausse modestie." Penses-tu. Tu te faisais pas prier. Quatre ou cinq préludes et fugues, joués avec une "simplicité divine". N'est-ce pas ? Moi ces préludes et ces fugues, je me les tapais à longueur de journée. Il suffisait que tu sois un tant soit peu démoralisé pour que tu te refermes comme une huître. Plus un mot pour moi, pas moyen de te réconforter, j'existais plus, non, mais il y avait ta "queue" et tu allais passer des heures et des heures et des heures à lui raconter à elle tous tes malheurs. Moi, dans ma chambre, essayant de bouquiner et de pas devenir barjo. Tu voulais pas que je parle au téléphone, ça te dérangeait. Tu voulais pas que je travaille, ça aussi ça te dérangeait ; pour toi tout travail de femme était un peu le tapin, alors comme j'y avais déjà trempé les doigts…

Ça, tu me le laissais pas oublier, non plus. Quand tu étais ivre tu manquais jamais de le ressortir, même devant les autres : "Olga, ma petite pute, va nous chercher des glaçons." Quand on baisait aussi. Tu m'appelais salope, putain. Toi qui en avais fréquenté, des putains, dans la Légion. Quand je t'ai rencontré tu n'enlevais même pas ton pantalon pour baiser, tu le baissais jusqu'aux genoux. C'était ça ton habitude, monsieur Don Juan : tirer un coup et puis salut. Une fois que je t'ai appris à faire l'amour, tu t'es dépêché d'aller expérimenter tes nouvelles techniques sur d'autres femmes. D'abord ça me tuait, les filles appelaient à la maison, je disais "c'est pour toi" et j'allais chialer dans ma chambre pour ne pas te déranger. Ensuite j'ai pris l'habitude et je m'en foutais. J'ai décidé que si je pouvais pas travailler, j'allais au moins m'instruire. Je me suis inscrite à l'université. Tu t'es moqué de moi. J'allais à toutes sortes de cours, ça m'emballait, au moins ça me sortait de la maison. Tu gueulais. Les repas étaient pas aussi soignés qu'avant. J'ai rencontré Bernald comme ça, j'avais assisté à son séminaire, ça m'avait emballée comme ça emballait tout le monde. Je pensais jamais qu'il ferait attention à moi. Eh bien si, nous avons pris le café ensemble une fois après le cours, il m'a posé des questions, il m'a écoutée comme tu l'avais jamais fait. Quand je suis rentrée ce soir-là, j'avais envie de me tirer une balle dans la tête. Tu n'étais pas là. Tu es rentré à quatre heures du matin, ivre mort, je t'attendais, tu m'as même pas dit bonsoir, tu t'es couché. Je suis sortie, j'en pouvais plus, j'ai marché n'importe où, je suis entrée dans un bar, j'ai bu. En sortant j'ai été suivie par un type, il m'a collée contre un mur, il m'a dit qu'il allait me violer, il m'a traitée de tous les noms dont tu me traites, putain, salope, tu vas l'avoir ma grosse queue, c'est ça que tu veux. J'ai hurlé comme un dingue et il a pris ses jambes à son cou. Pas une fenêtre s'est ouverte, pas un flic a montré le bout de son nez. Je suis rentrée brisée. Je te l'ai raconté le lendemain matin, je chialais, je t'ai dit que j'avais envie de mourir, tu m'as dit déconne pas, s'il t'avait violée je comprendrais que tu te flingues mais il t'a pas touchée.

Pour moi c'était la fin. C'est seulement à ce moment-là que j'ai commencé à prendre des amants. Tu étais fou de rage quand tu as su que je couchais avec Bernald. Tu m'engueulais tous les jours. Tu me laissais plus jamais téléphoner à qui que ce soit. Tu me baisais comme une brute, tu me pinçais les bouts de seins jusqu'à ce que je hurle, jusqu'à ce que je te demande pardon. Une fois, tu m'as dit que tu allais assassiner Bernald en plein milieu de son séminaire. Tu l'aurais fait. J'ai cessé d'y aller. Je suis revenue à la maison. Préludes et fugues, préludes et fugues, sans discontinuer. Bach. Bach. Bach.

Maintenant, c'est vrai, tu as déménagé le piano dans la maison à Cassis. Tu voulais faire un peu de place pour mon cercueil ? Je sais que tu paies une somme astronomique pour que l'humidité à l'intérieur de la maison reste toujours pareille sinon ta queue en souffrirait. La proximité de la mer est très dangereuse pour les queues. Le bois se dégrade, les cordes s'allongent, il faut les rajuster tous les quinze jours. Tu as fait ça pour moi alors ? J'en suis touchée. Tu dépenses tout ce fric pour que j'aie enfin la paix chez nous ? Comme c'est gentil. J'espère qu'elle va pourrir plus vite que moi, ta queue.

Tu me laisses même sortir seule le soir maintenant pour aller voir de vieux amis. "Tout ce que tu veux, ma chérie. Ça me dérange pas si tu revois Bernald." Maintenant que je suis plus qu'une vieille loque qui tombe en morceaux. Maintenant que ma petite cervelle de femme a éclaté. Je peux donner plein, plein de coups de téléphone. Je peux m'inscrire dans toutes les universités du monde.

J'ai gâché ma vie. C'est un scandale. Mais je vais pas gâcher ma mort. Je vais avoir ma mort à moi. Je veux être brûlée. Je veux que mes cendres soient jetées dans la Méditerranée. Comme ça vous pourrez pas venir renifler sur ma tombe une fois par an, et raconter aux petits-enfants l'histoire de la vie de grand-maman. Ma vie, c'est de la merde. Rien à raconter. Rien à signaler. J'ai perdu mon temps.

VARIATIO XV

Roche

C'est, m'as-tu dit, la variation que tu aimes par-dessus toutes ; peut-être, au fond, la seule que tu aimes vraiment. A cause de son *chromatisme*, ce beau mot qui dit couleurs : le nuancement des notes. Les phrases qui montent et qui descendent, tranquillement, par demi-tons, la gamme du *sol* mineur. Et *chroma*, c'est aussi la peau – par quel cheminement sémantique ? Ce que tu dévoiles ici, ce sont des peaux de couleurs différentes ; des surfaces successives de quelque chose qui n'a pas de cœur. Car les variations reprennent non pas la mélodie du thème, mais seulement l'agencement de ses harmonies. On ne progresse pas vers un apogée, une révélation du sens profond : il pourrait y avoir mille variations, n'est-ce pas ? – et le centre vide resterait le même.

Le vent souffle dehors. Dedans, les invités me paraissent méfiants et un peu crispés. Ils n'ont pas l'air de savoir ce qu'ils font ici. Ils pressentent dans ce concert une motivation cachée de ta part. Comme s'ils se retrouvaient sur scène sans la moindre idée de la pièce qu'ils doivent jouer, du rôle qu'ils sont tenus de remplir. Quelqu'un détient-il la clé ? Quelqu'un va-t-il leur souffler la réplique ? Au fond, il n'y a rien de vraiment anormal ; ils assistent à un concert de musique de chambre, au mois de juin à Paris. Mais le malaise est là. Il insiste. Cette pompe étrange dont tu as entouré la performance. Ta robe noire, l'éclairage aux bougies, ta cousine irlandaise qui joue la bonne, la collation sur le balcon : tout cela doit correspondre à une convention quelconque, mais justement ils ne savent pas laquelle. D'une part le concert a commencé à "huit heures très précises", ce qui fait penser qu'il s'agit d'une soirée purement musicale ; mais d'autre part il y a cette nourriture qui attend, donc tout à l'heure il faudra se mettre au diapason d'une soirée mondaine. Les pistes se brouillent, les signes se contredisent ; ce n'est ni l'un ni l'autre et c'est les deux ; comment faire pour trouver le ton juste ?...

Et d'abord, pourquoi ce concert ? Pour rien, évidemment : la musique c'est toujours pour rien. Elle n'a pas de raison d'être, elle n'a pas de raison tout court, et c'est pour cela que les Français y sont tellement *paumés*. Ici tu as voulu semer des indices emphatiques, un peu grotesques, comme pour suggérer qu'il était possible de débrouiller les pistes et de les suivre quelque part. Tu as choisi le 24 juin, la nuit de la Saint-Jean, la nuit des sorts. Tu as cherché à créer, pour eux tous, le songe d'une nuit d'été. Mais ils n'ont pas envie de se laisser faire. Ils cherchent la clé du songe. Ils veulent interpréter. Ils se connaissent et ne se connaissent pas ; ce n'est ni assez intime ni assez impersonnel pour qu'ils sachent sur quel pied danser. Alors ils sont en suspens ; tu le sens et cela te rend nerveuse. Mais tu verras que cela n'a aucune importance. Ou plutôt : ce concert est à la fois complètement important et complètement insignifiant ; chaque note est à la fois gratuite et nécessaire. Car ces *Variations Goldberg* n'avaient pas besoin d'exister du tout, mais une fois qu'elles se sont mises à exister, elles ne pouvaient qu'assumer une forme, et l'assumer jusqu'au bout.

Quand j'écrivais, le même dilemme était constamment présent. Le souci de ne pas faire avec des mots des murs, mais plutôt des constructions ajourées, me faisait craindre la chute à travers une des ouvertures que j'avais moi-même pratiquées. Alors tu me parlais des portes qui ne pouvaient être ni ouvertes ni fermées – t'en souviens-tu ? –, mais entrouvertes ; on essayait d'imaginer d'autres choix possibles que celui, occidental à outrance, de "faire le plein", et celui, oriental à outrance, de "faire le vide". Mais j'étais persuadé – je le suis encore – qu'ici et maintenant l'écriture ne peut pas illustrer ce choix ; qu'elle sera toujours pleine jusqu'à l'écœurement ; qu'elle ne peut éviter d'être détournée en *enseignement* (savais-tu que Blanchot et Duras sont désormais inscrits au programme du bac ?)… La musique, elle, a plus de chances, du fait qu'elle n'enseigne pas ; c'est dans sa nature même d'être perméable. Si le sens est roc, la musique, elle, est roche : poreuse, comme ces pierres volcaniques que

nous avons trouvées sur la plage en Italie. Elles ont
été de la lave brûlante ; maintenant la mer passe
librement à travers leurs cavités. Elles sont en même
temps du solide et du vide. Aimeras-tu cette méta-
phore ? Je te la dirai demain ; peut-être y trouveras-
tu de quoi faire un sourire ou un haïku…

Quand tu répétais ces dernières semaines, j'ai été
constamment émerveillé – rassure-toi, je ne dirai pas
de ton talent – du processus lui-même, le bricolage
d'un chef-d'œuvre. Les fragments qui s'alignent
peu à peu, qui deviennent de plus en plus polis, pour
s'animer enfin dans une *coulée*. C'est toujours mystérieux, l'aspect technique de la beauté. Quand
j'entends un chant d'oiseau, je me laisse tout simplement "flatter les oreilles" ; rien n'est moins
énigmatique que la nature. Mais quand j'entends
un madrigal, je sais que l'être qui le chante a dû
apprendre des choses qui s'appellent flattements,
tremblements, pinces, trilles, ports de voix, mor-
dants, tours de gosier – et j'en suis ébloui. Toute cette
précision pour ne rien dire.

Tu es arrivée à la moitié du concert maintenant.
Tu es fatiguée et je sais comme tu détestes la fatigue.
Tu m'as dit une fois qu'il te fallait garder les yeux
ouverts *comme des blessures*. C'était en quelque
sorte ton propre corps qui devait incarner le ni-
ouvert-ni-fermé ; tu avais besoin de t'"écorcher"
au contact de la vie. Tu n'emploies plus ce mot, mais
je me souviens du jour où tu es revenue hallucinée
d'un vernissage pour me dire qu'un peintre inconnu
avait donné forme à ta hantise. Il s'agissait d'un

tableau qui montrait un homme jaillissant d'un réfrigérateur : nu, squelettique, figé, comme électrifié au milieu de son bond, les cheveux dressés sur la tête, le sexe pendant, la peau rougeâtre, bleutée par endroits. L'Ecorché : image effrayante, mais aussi image de l'effroi. Je t'ai demandé si le Christ crucifié n'était pas le même fantasme exactement : ce jeune corps émacié, suant, sanguinolent, devant lequel les gens s'agenouillent par millions ; j'ai suggéré que tu te reconnaissais dans cette sensibilité excessive, cette volonté d'être toujours à vif – "Regardez mes blessures, tous ceux qui doutent. Mettez la main dans la plaie. C'est pour vous que j'ai souffert, c'est pour vous que je souffre" ; tu m'en as voulu pendant des jours. Peut-être que j'avais tort... A te regarder, je me dis que ce n'est pas, ou plus, cela qui est en jeu. Ce soir il me semble, en tous les cas, que tu te sers de ta fatigue et des contraintes, au lieu d'y résister.

Quand nous étions en Irlande chez ta grand-mère, tu dormais neuf heures par nuit. Je n'en revenais pas : ton visage le matin au lit était totalement paisible, et pendant le jour tu n'étais plus du tout pressée ; tu avais adopté d'un seul coup la calme lenteur des gestes de ta grand-mère. Je te regardais marcher jusqu'au puits pour chercher de l'eau, couper les feuilles de menthe, préparer le thé ; je me suis dit qu'en dessous de son rythme habituel et parisien, ton corps devait avoir un deuxième rythme, un battement moins erratique, moins fort aussi peut-être, mais plus sûr. C'est ce battement-là que j'entends dans ce concert : tu commences à lui faire confiance. Alors… il ne faut pas que tu aies peur que les gens n'écoutent pas. Olga écoute, Franz aussi, et Simon, et Jules bien sûr ; Viviane a les yeux rivés sur toi – voilà une autre écorchée ; ton père s'est presque entièrement retourné sur sa chaise mais il écoute à sa façon ; tous, ils écoutent à leur façon et moi aussi et toi aussi. Le malaise ne provient pas des *Variations* mais des vies. En rassemblant ces vies, ce sont elles que tu as choisi de mettre en scène autant que la musique. Seulement, chacune d'elles est aussi une facette de ta vie à toi, ou de la mienne, et la charge en est obligatoirement lourde.

Peut-être, à la fin, n'auras-tu pas envie de te mêler tout de suite aux invités. Peut-être pourrions-nous nous éclipser et les laisser se débrouiller avec la répartition des rôles ? Le temps de décider qui sera le héros, qui l'héroïne, et qui l'oracle de la pièce ? Qui appartiendra au chœur et qui fera le coryphée ? Le souper serait-il l'épilogue du concert, ou bien le concert n'était-il que le prologue du souper ? Pendant ce temps, nous irons faire un tour dans le jardin. La pleine lune sera levée. NOUS regarderons, d'en bas, les invités sur le balcon. Leurs mots nous parviendront brouillés. Cela fera une sorte de musique chaotique : l'anti-concert, au cours duquel ils pourront relâcher tout ce qu'ils auront retenu pendant une heure et demie. Nous entendrons des faux rires et des vrais, des fausses questions et des vraies – mais nous entendrons seulement des inflexions, la ponctuation des phrases et non leur

contenu : certains discours entièrement entre guil-
lemets, d'autres entièrement entre parenthèses ;
des points de suspension, d'exclamation, d'interro-
gation...

Je me souviens, maintenant, que c'est ce qui te
plaisait par-dessus tout dans la quinzième variation :
plutôt que de se résoudre sur le ton comme presque
toutes les autres, elle prolonge le questionnement
par trois petites notes dans la main droite : trois
notes qui montent encore vers l'inconnu ?

VARIATIO XVI

Profit
Il y avait quatre menus, plus deux bouteilles de morgon, plus les cafés. Je veux bien que le vin ait pu coûter un peu plus que ce qui était marqué sur la liste, mais 578 francs, vraiment, je ne sais pas comment ils sont arrivés à ce chiffre-là, alors que le menu était à 80 francs. Je peux le mettre sur ma note de frais, bien sûr, mais ça fera le quatrième déjeuner d'affaires cette semaine et je n'aime pas donner un si mauvais exemple. Enfin, personne ne me surveille ; la comptabilité se moque des dépenses de ce genre. Ça m'embête quand même. Alors que je dis à Marilyn d'apporter un calculateur de poche quand elle fait ses courses au supermarché. Ce que j'ai vu sur le balcon ne vient certainement pas du supermarché. De chez Fauchon, plutôt. A moins qu'ils n'aient une bonne exceptionnellement douée en matière de soupers fins. J'ai cru voir des sandwichs au concombre, c'est peut-être une petite Anglaise. Je me demande combien elle touche par mois ici. Deux mille ? Trois mille ? A moins qu'elle ne soit embauchée que pour la soirée. Liliane

Kulainn perçoit sans doute un salaire acceptable à l'Unesco, mais ce n'est quand même pas une femme très riche. Son père est là, elle me l'a présenté tout à l'heure, et on ne peut pas dire qu'il ait l'air d'un *lord*. Est-ce qu'un Irlandais peut être anobli, d'ailleurs ? Sir James Joyce ? Ça fait bizarre. Sir Samuel Beckett ? Pas possible. En tout cas, je vois que la dame Kulainn porte un collier de perles ce soir. Et ce n'est pas Thorer, même avec ses droits d'auteur, qui a pu lui payer ça. Ce serait plutôt elle qui l'entretient maintenant. Pourtant il était bien parti pour avoir des sous, Thorer. S'il avait mieux géré ses contrats avec les maisons d'édition à l'étranger, au lieu d'afficher cette indifférence superbe qui était son sceau personnalisé jusqu'à sa dépression nerveuse, il aurait eu de quoi s'offrir une retraite plus que confortable. Non pas qu'il ait l'air de manquer de confort en ce moment, mais ça ne doit pas être facile tous les jours d'être un homme entretenu par une femme.

Sa dépression lui a fait perdre un peu de sa superbe, et c'est dommage. Il y avait une formule qui le caractérisait très bien, dans une critique parue dans *le Temps* il y a deux ou trois ans : comment c'était déjà ? Quelque chose comme… "Alors que la plupart des penseurs contemporains s'efforcent de paraître nonchalamment intelligents, Bernald Thorer est le seul à être intelligemment nonchalant." C'était un peu mieux tourné, mais ça revenait à ça. Sa maladie l'a réellement marqué. Il a l'air plus grave, et en même temps plus éthéré. Je me demande s'il n'a pas perdu du poids. C'était quelque chose de très impressionnant. Jamais vu ça. Bien sûr, on a réussi à le minimiser auprès du grand public, mais moi ça m'a fait beaucoup d'effet. J'avais suivi sa carrière, de loin en loin, depuis vingt ans. Il me semblait qu'on se ressemblait par certains côtés. Tous les deux on avait des ambitions, des idéaux, et une quantité illimitée d'énergie pour les réaliser. Tous les deux on était des élèves précoces : on est sorti de Normale la même année, on a eu l'agrég la même année, on a goûté très jeunes à un certain succès. Arrivés à la trentaine, nos noms étaient déjà un peu connus. Quand j'ai décidé de créer *le Contretemps*, j'ai même invité Thorer à déjeuner pour lui proposer d'y faire une chronique hebdomadaire. Je lui ai proposé cinq mille francs par mois : pour cinq mille mots, c'était pas mal. Mais il a refusé – très gentiment – en disant qu'il préférait simplement m'envoyer un texte de temps en temps, quand une idée lui venait, plutôt que d'être salarié. Ce n'est pas que *le Contretemps* eût pu le faire vivre – le contraire serait même plus proche de la vérité : son nom aurait peut-être aidé *le Contretemps* à survivre… bref, ce n'était pas une rencontre très fructueuse.

Ce devait être un ou deux ans après, je travaillais déjà au *Temps*, que le bruit a commencé à courir dans les coulisses que Thorer était devenu fou. Je n'y ai absolument pas cru, pas une minute. Je me disais : ça doit être la fameuse crise de la quarantaine. Bien sûr c'est un peu tôt, mais enfin Bernald Thorer a toujours été précoce. Tout le monde a le droit d'aller mal de temps en temps, il faut simplement le soutenir, lui montrer que ce qu'il fait est très important pour nous, qu'il faut absolument qu'il continue, que nous avons besoin de sa pensée critique si singulière, et cetera, et cetera, et puis attendre que ça se passe. C'était au moment de la guerre entre le Viêt-nam et le Cambodge, on commençait à découvrir toutes les atrocités qui avaient été commises sous le régime de Pol Pot, alors j'ai pensé que ce serait une bonne idée de faire une tribune libre à ce propos dans *le Temps* et de solliciter un article de Bernald Thorer. Histoire de le faire cogiter sur autre chose que sa déprime. J'ai attendu, j'ai attendu, l'article ne venait pas, mais chaque fois que ma secrétaire l'appelait, il répondait que ça allait venir, qu'il avait encore besoin de réfléchir. On a reporté la tribune libre pendant deux semaines entières, je me suis dit que décidément les écrivains n'avaient aucune idée de ce que représentait l'actualité : déjà la situation politique du Cambodge avait évolué et je commençais à m'énerver sérieusement. Enfin, je trouve une enveloppe sur mon bureau avec marqué dessus : expéditeur, Bernald Thorer, et cetera. Je l'ouvre et j'en extrais… un feuillet unique. J'ai cru à une mauvaise plaisanterie. Il y avait presque rien écrit dessus, à peine quelques mots : "c'est horrible", "non", "c'est - - - -", des mots illisibles, et même des sortes d'onomatopées genre bande dessinée : "Aaaargh." Je me suis dit : mais il se moque du monde ! J'étais vraiment en colère. J'ai décidé que

135

c'était la dernière fois que j'essayais de rendre service à Bernald Thorer. La tribune libre est parue le lendemain, sans lui évidemment.

Je ne mesurais pas encore la gravité de sa maladie. Je n'ai parlé à personne de la lettre que j'avais reçue, sauf à Marilyn, et elle a dit qu'elle la trouvait plus intelligente que les articles qu'on a publiés. Très drôle. J'attendais pour voir ce que deviendrait l'enfant terrible soudain régressé au stade de l'enfant sauvage. Est-ce qu'il avait vraiment perdu l'usage de la langue française ? Il semblait que non. Nous avions des amis en commun qui continuaient de le voir, et ils disaient que Thorer les recevait avec sa déférence habituelle, qu'il était peut-être un peu distrait parfois, surtout quand on l'interrogeait sur l'état de sa santé, mais qu'enfin son aspect n'avait absolument rien de dramatique. Je me demandais pourquoi, dans ce cas, il m'avait joué une telle comédie à moi, alors que nos rapports avaient toujours été respectueux, bien que distants.

Après, ce fut l'histoire de la télé, et ça a marqué la fin de sa carrière. On l'avait invité pour parler de son dernier livre qui traitait des idéologies de la guerre. Les autres invités étaient des historiens et des philosophes qui s'occupaient de sujets voisins – on avait même dégotté un légionnaire qui venait de publier ses mémoires, histoire d'ajouter un peu de sel à la soirée –, mais enfin l'émission était une sorte de cadeau de reconnaissance à Bernald Thorer, un vote de confiance, pourrait-on dire. Le présentateur a interrogé d'abord les autres, en partie pour se garder Thorer comme pièce de résistance, mais aussi, surtout, pour témoigner du respect qu'on lui portait. Donc, les autres ont tous parlé, ils se sont un peu bagarrés comme d'habitude, pour la forme, et le silence de Thorer est devenu de plus en plus ostensible, pour ne pas dire insolent. La caméra le filmait de temps en temps : il suivait très attentivement tout ce qui se passait, mais il n'intervenait pas du tout. Enfin le présentateur s'est tourné vers lui : "Et vous, Bernald Thorer, qu'en pensez-vous ? Est-ce que nous nous acheminons vers l'apocalypse ?" Thorer a hésité, puis il a lâché le morceau : "Je suis entièrement d'accord avec ce que dit M. Benoît." Et il s'est tu. Un silence de plomb est tombé sur le plateau. Ça coûte extrêmement cher, du silence à la télé. Le pauvre Benoît est devenu vert. Même le présentateur, dont c'est le métier de faire rebondir la discussion à partir de n'importe quelle réplique, était abasourdi.

Cette boutade était destinée à devenir la phrase la plus célèbre de Bernald Thorer. On l'a répétée, incrédule, dans tous les couloirs d'université, à Paris et en province ; on l'a chuchotée dans les maisons d'édition pendant trois mois. Mais après cela, Thorer n'avait d'autre choix que de se retirer définitivement de la scène publique. On ne badine pas avec les institutions qui vous ont aidé et encouragé pendant des années. Il avait accepté de venir à l'émission et puis il avait fait son numéro. Le numéro zéro. Tant pis, si c'était ça qu'il souhaitait.

Il m'a reçu très naturellement ce soir. Je ne lui avais pas parlé depuis l'histoire du Cambodge, mais je ne suis plus fâché avec lui, bien entendu. Je le plains plutôt. Il m'a dit qu'il lisait toujours *le Temps* – "pas tout à fait tous-jours, mais presque" –, donc apparemment il ne s'est pas encore fait moine. Mais je le plains, parce qu'il était parti pour faire une carrière extraordinaire. On avait pris notre envol ensemble, et j'avais l'impression qu'on s'épaulait pour ainsi dire, de loin en loin, dans une sorte de complicité tacite. Maintenant il joue le détachement ; ça n'empêche pas, à mon avis, que ce soit l'échec et j'en suis désolé pour lui.

VARIATIO XVII

Souci
Je suis presque sûre de l'avoir éteinte, c'est idiot
de penser à ça. C'est comme quand j'étais étudiante
et qu'il fallait me lever à six heures du matin pour
faire mes exercices, je mettais le réveil mais ensuite
je me disais que peut-être j'avais oublié de tirer le
bouton de la sonnerie. Je me levais et c'était bien
sûr tiré ; je n'oubliais jamais rien à cette époque-
là. J'aurais aimé, à la limite, oublier des choses de
temps en temps. Ça m'inquiétait de ne jamais commettre un acte manqué. Je me disais que je n'étais
pas normale, que je n'avais pas d'inconscient. Maintenant c'est différent, j'oublie tous les jours quelque
chose. Jules me gronderait presque, sauf qu'il est
pire que moi. Je ne pourrais jamais le laisser seul
avec les enfants, par exemple. Il oublierait de leur
donner un bain ; à la limite il oublierait même de
les nourrir. Pour lui, ce n'est pas pareil. Il peut s'enfermer dans son bureau pendant huit jours, sans se
laver et presque sans manger, la famille n'existe plus.
Il ne se rend pas compte que tout le monde n'est
pas comme lui.

139

Mais est-ce que je l'ai éteinte ? Ah là là. Je me souviens que j'ai pris les clés de la voiture dans le tiroir juste à côté. Donc normalement j'ai dû éteindre la lampe à ce moment-là, avant de quitter la pièce. Mais je n'ai pas le souvenir d'avoir traversé la pièce dans le noir. C'est idiot, ça ne va sûrement pas prendre feu, on la laisse allumée pendant qu'on est là et ce n'est pas encore arrivé. Mais l'abat-jour, cette laine écrue, c'est très très inflammable... les rideaux sont juste à côté... ça aurait le temps de prendre avant que les enfants ne se réveillent, puisqu'ils dorment tous à l'étage au-dessus maintenant. La moquette, ensuite les meubles, ensuite les murs... l'escalier... la fumée qui monte... toute la maison pourrait flamber. Il vaut mieux que je n'y pense pas. C'est certainement éteint. Même si moi j'ai oublié, Sandra l'aura vue avant de monter se coucher. Elle sait que je m'inquiète. "Sois pas bête, maman, on est assez grands maintenant. Tu me laisses bien faire du baby-sitting chez tes amis, alors pourquoi tu ne me fais pas confiance ici ? Tout le monde sera au lit à l'heure, je te le promets." Il est neuf heures moins cinq, donc ils sont sûrement au lit déjà. C'est vrai que c'est une fille responsable, Sandra. Je peux lui faire confiance. Justement j'ai rêvé l'autre nuit que nous étions prises toutes les deux dans un raz de marée, et c'est elle qui m'a tirée de la mer.

Je fais souvent des cauchemars quand Jules travaille la nuit. Je sais qu'il est juste à côté, mais c'est presque comme quand j'étais enfant, j'ai peur de m'endormir toute seule. Je préfère quand on se met au lit ensemble et qu'on parle de ce qu'on a fait dans la journée, des enfants, de l'école, des amis qu'on va inviter à dîner le samedi soir. Quand je suis seule, je ne pense pas du tout, à la limite. Ou alors il y a des choses idiotes qui me traversent l'esprit, je me demande si les garçons ont assez de chaussettes propres ou s'il faudra faire une lessive le lendemain. Ou bien j'essaie de me rappeler dans l'ordre tous les élèves que j'ai vus dans la journée.

Aujourd'hui il y avait Mischa, elle a vraiment du talent, mais quelle teigne ! Elle vient prendre des leçons avec moi mais elle ne supporte pas que je lui fasse la moindre critique. "La semaine dernière vous m'avez dit qu'il fallait plus de fermeté, cette semaine vous me dites qu'il faut être détendue. Je ne peux pas faire les deux à la fois !" Elle est un peu gonflée, de me parler comme ça, même si son père s'appelle Grinski. Après tout, je ne suis pas payée pour écouter ce genre d'impertinences, mais pour former des artistes.

J'ai trente-deux élèves cette année – quatre de plus que l'année dernière, alors que je m'étais juré de réduire mes activités pédagogiques –, c'est vraiment trop. J'ai à peine le temps de travailler pour moi. Il y a un concert dans quinze jours et j'ai seulement déchiffré les partitions une fois avec les autres. Ce n'est pas de la tarte, non plus, ce type Evangelisti avec sa "musique aléatoire". Il nous faut au moins deux heures par page, rien que pour mettre au point les entrées et les points d'orgue de chacun. Jules dit que c'est ce qui fait tout l'intérêt de la musique contemporaine, que chaque compositeur invente un ou plusieurs systèmes d'écriture entièrement neufs. Je veux bien, mais je n'ai pas été formée pour cela. C'est comme les maths modernes ; je suis incapable d'aider les garçons avec leurs devoirs parce que rien ne ressemble à ce qu'on m'avait appris. Pourtant j'aimais beaucoup les maths quand j'étais étudiante. J'ai hésité longtemps entre les maths et la musique. C'est mes parents qui m'ont conseillé de choisir la musique, sous prétexte que c'était une profession plus féminine. A la limite, je ne sais pas si j'ai bien fait de suivre leurs conseils. Je me dis parfois que j'aurais peut-être été douée pour faire de la recherche en mathématiques… Ce sont les Jeunesses musicales qui ont fait pencher la balance : il n'y a rien au monde de plus exaltant que d'être assise en plein milieu d'une symphonie, de sentir éclore la musique autour de soi et de savoir qu'on contribue à cette éclosion. Là, c'est la vraie appartenance, alors que les maths se font dans l'isolement total. Mais, d'un autre côté, être musicien d'orchestre c'est se condamner à l'anonymat. Alors quand je suis entrée dans le quatuor il y a dix ans, je pensais avoir trouvé la solution idéale. Malheureusement, ça rapporte assez peu et je suis obligée de perdre mon temps à donner des leçons comme tout le monde. Je contribue plus que Jules au budget de la famille, mais, ça, tout le monde le trouve normal dans la mesure où un compositeur est considéré comme plus "artiste" qu'un interprète.

Les gens sont tout émoustillés de venir dîner chez nous ; ils posent des tas de questions à Jules ; à moi ils disent par politesse : "Et que faites-vous ?" et quand je réponds que je suis violoniste ils s'attendent que je n'aie plus rien à dire. Je ne vois pas pourquoi, *a priori*, c'est lui qui aurait des opinions sur la musique plutôt que moi. Pourtant, c'est vrai qu'il y a une différence… Parfois je le regarde, quand il en parle, je vois à quel point il est pris, à quel point il est passionné, et ça me rend triste. Ce n'est pas bien je sais. Moi aussi, j'ai connu de la passion, surtout quand j'étais jeune et que je découvrais le répertoire du violon pour la première fois. Les années de travail et de préparation avaient porté leurs fruits : je me sentais capable d'attaquer n'importe quelle œuvre difficile. Et, de temps en temps, j'étais emportée… Je me rends compte que ça fait longtemps que je n'ai plus eu cette sensation. Même pendant les concerts, à la limite, j'ai un sentiment de répétition. Je ne sais pas… Je vois plutôt cette extase sur le visage des hommes. Quand Jules dirige un orchestre, par exemple, il a des expressions qui sont exactement les mêmes que quand on a des rapports sexuels. Ça me frappe beaucoup, mais je l'avais déjà remarqué depuis longtemps, avec d'autres musiciens. J'ai vu je ne sais pas combien de violonistes ou de violoncellistes grimacer comme ça, avec une sorte de douleur exquise, comme pour le plaisir sexuel. Sans l'alibi de l'instrument, ils ne se permettraient jamais de faire ça devant un public. Jules, heureusement, au moins il a le dos tourné à la salle. Ça me semble trop intime, trop physiologique, cet engagement des hommes dans la musique. Il y a quinze jours nous sommes allés écouter Frédéric Dumont, parce que Jules s'inspire souvent du jazz dans son travail. On aurait dit que Dumont était en train d'avoir des rapports sexuels avec son saxophone, tellement il avait le visage contorsionné. Tout son corps bougeait... vraiment. Je n'ai jamais vu une femme faire ça. Regarde Liliane, elle est comme une statue pendant qu'elle joue. Moi non plus, je ne pourrais jamais me laisser aller à ce point. Je sens toujours une certaine distance par rapport à l'instrument. Il ne devient jamais comme un organe de mon propre corps. Jules, quand il se met à écrire quelque chose, c'est comme si la musique remplaçait son corps tout entier. C'est pour ça qu'il n'a pas besoin de se laver ni de manger. Je ne suis pas jalouse du temps qu'il consacre à sa musique – mieux vaut ça qu'une maîtresse –, mais je suis jalouse parfois de ce rapport qu'il a avec elle. Puisque c'est ma profession aussi, après tout.

J'ai même essayé de lui en parler une fois. Je lui ai demandé pourquoi à son avis il y avait eu si peu de femmes compositeurs. Il m'a répondu qu'évidemment c'était parce que les femmes avaient été gardées à la maison pour faire des enfants, et qu'elles n'avaient jamais eu accès à une formation musicale sérieuse. Maintenant qu'elles sont émancipées, il y en a de plus en plus qui vont devenir compositeurs. Peut-être même un jour notre Sandra, qui sait ?

C'est une explication vraisemblable, mais je ne sais pas. Je sens que c'est ça, et qu'en même temps ce n'est pas seulement ça. Est-ce qu'il y aura vraiment un jour une femme compositeur de l'envergure d'un Beethoven ? ou une femme chef d'orchestre comparable à von Karajan ? J'en doute, je ne sais pas pourquoi. Mais on ne peut pas prévoir l'avenir. Justement on va rencontrer le mois prochain au Festival des Berkshires une des femmes compositeurs les plus en vue. C'est une Américaine, je ne me souviens plus comment elle s'appelle, mais il paraît que c'est un vrai tyran. Elle dirige toujours ses symphonies elle-même, et elle fait répéter les musiciens jusqu'à l'épuisement. Ce sera amusant de voir ça ensemble. Ce sera la première fois qu'on voyage tous les deux seuls depuis notre lune de miel. Sandra va partir faire un stage d'anglais à Londres et les garçons seront en colonie. Il faut encore que d'ici là je trouve le temps de coudre toutes ces petites étiquettes avec leur nom dessus. Une pour chaque slip, une pour chaque chaussette, une pour chaque T-shirt... ça doit faire au moins soixante en tout. A raison de trois ou quatre minutes par étiquette, ça m'occupera bien une soirée entière. Pas la soirée de demain.

VARIATIO XVIII

Syncope
me fait rire avec sa recherche de l'authentique.
N'aime pas du tout qu'on la taquine. Se met à bou-
der. Ça donne encore plus envie de rire. Clavecin
identique à celui fabriqué, telle ville d'Italie, telle
année, et alors ? Cette méfiance du moderne. Déva-
loriser les artistes/artisans vivants. Pourquoi ? Parce
qu'ils sont vivants. C'est joli Bach. Moi j'avoue
que l'ancien c'est joli. Qu'est-ce qu'ils ont contre
le nouveau ? Je sais. Ça les endort pas assez. Ça
les réveille trop. Réveillez-vous. Encore et encore.
Chaque seconde. C'est trop. Les gens préfèrent
dormir. J'ai toujours su ça, même petit. Affligeant.
Endormis dans le métro. Dans la rue. Devant la
télé. Autour de la table. Mettre la radio. Mettre un
disque. S'assoupir encore plus. Le yoga. Le jog-
ging. Le cinéma. Sont nerveux, quel drame. Ils ont
des nerfs ? des névroses ? Qu'à cela ne tienne :
vite ! un calmant. S'alanguir encore. Se pâmer. Se
camer. Meubles confortables. Coussins voluptueux.
Lunettes noires. Rock'n roll. Bouger n'importe comment. Chanter n'importe quoi. Retour à la nature.

Quelle nature ? Par exemple : retour aux instruments anciens. C'est naturel ? Quelle blague. Veulent connaître leur époque : centrales nucléaires, marées noires, massacres, destruction. Création ? Où ça ? La création c'était avant. Avant quoi ? Avant le capitalisme. Complètement zinzins.

Je la taquine, Lili. "Pourquoi t'aimes pas la musique contemporaine ? – Mais si, j'aime bien Schönberg." C'est ça qu'elle appelle contemporain. Clamsé depuis un demi-siècle, le vieil Arnold. Je lui mets l'opus 26, *Quintette pour cordes.* "Voilà : je sens que ça m'invite à écouter, plutôt que de m'exclure." Des gens intelligents qui parlent comme ça. Ils vont au musée s'extasier devant Pollock. Mais ils veulent pas que leurs oreilles travaillent. Déjà les méninges, les yeux, les mains, tout ça travaille. Ça suffit, c'est déjà trop. Faut pas en demander plus. Les oreilles, c'est fait pour dormir sur les deux. S'il fallait encore qu'on travaille pour écouter de la musique ! Où irions-nous ? La musique c'est pour tuer le temps. C'est bien connu. Pas pour le faire vivre. Prenez le disco. Ça, c'est beau. Le temps réduit en bouillie. Enfin on entend plus rien. Mais les compositeurs d'aujourd'hui. Trop froids, trop intellectuels. La musique conceptuelle, quelle barbe. Comme s'ils écoutaient autre chose, avec leur Sibelius tarte à la crème. Des concepts différents, c'est tout. Mais ils ont peur. Ils aiment pas l'électronique. Ça les fait penser à *1984.* A Watergate. Les calculs froids de la machine froide. Faut pas mélanger la science et l'art. Comme si leur clavecin bien tempéré était autre chose. Une science différente, c'est tout. Les synthétiseurs sont fabuleux. De la science-fiction. Ça leur fait peur. Ils peuvent imiter non seulement n'importe quel instrument – à la perfection –, mais une infinité d'instruments qui existent pas. Qui seraient impossibles à fabriquer. C'est pas naturel. La flûte, la clarinette, le violon, le saxo, voilà qui est naturel. Et pourquoi le nombre de doigts qu'on a sur nos deux mains de primate supérieur limiterait nos possibilités musicales ? On a bien cessé de compter sur les doigts ! Depuis un moment déjà. Ça oui, c'est utile de savoir multiplier. C'est utile de faire calculer ses impôts par ordinateur. Mais la musique ? Intouchable. Le synthétiseur, c'est louche. D'abord c'est lourd. C'est compliqué. En plus c'est cher. C'est antisocial. Donc on veut pas en entendre parler. Fermez-moi ça. C'est du bruit. On peut pas le gratter comme une guitare devant une queue de cinéma. Donc c'est pas spontané. C'est pas l'oiseau sur la branche.

Parlons-en de nos oiseaux. Les grands solistes "spontanés" de l'opéra. La soprano rate son *la* pendant un enregistrement. Qu'est-ce qu'on peut faire ? Ça va pas. Le disque sera gâché ? Que non : là, intervient le synthétiseur. Petite intervention chirurgicale sur le *la*, il le remonte d'un quart de ton. C'est un *lifting*. Maintenant c'est beau, c'est esthétique. Bravo ! Vive la science ? Que non : vive la soprano !

Alors les compositeurs. Les copains. Ils font ce qu'ils peuvent. Essaient de mettre les gens à l'aise.

Leur donnent du folklore retapé. Des citations de musique qu'ils pigent déjà. Quelques bribes de poésie pour faire passer. Un peu de sucre pour dorer la pilule. Moi c'est pas mieux, j'écris pour des films. Coller mes sons à des images, peut-être comme ça ils s'en apercevront pas. On leur glisse un peu de musique contemporaine comme de l'arsenic dans le café. On fait de la publicité invisible. Flash : "Achetez du pop-corn." Un dixième de seconde. Ils la voient pas. Ils achètent. Flash : "Ecoutez du Serino." Ils entendent pas. Parfois ça marche. Au moins je touche des droits.

Les sons dans le silence. Les sons dans l'espace. J'écris jamais avec un clavier. J'écris avec l'infini. Les gens s'étonnent. Pour eux c'est comme l'alphabet. Ça vous suffit pas ? quatre-vingt-huit touches ! alors qu'il y a seulement vingt-six lettres ! Les poètes, ça leur suffit à eux. Et si je veux un quart de ton ? Et un huitième de ton ? Et cinq neuvièmes de ton ? Si je veux exactement ça ? C'est comme les melons. Divisés par Dieu en six ou huit morceaux, exprès pour les familles nombreuses. Les modes majeur et mineur : donnés par Dieu. Adéquats à notre sensibilité auditive. Le reste, c'est des grincements. Grincement de nerfs. Grincement de dents. Comme quand j'ai dit à Lili qu'il y avait des clavecins électriques maintenant. Quelle grimace ! Quelle moue dégoûtée ! Bernald s'intéresse un peu plus. Il pose des questions. Il a pas tout décidé à l'avance. La plupart des gens sont décidés depuis le berceau. Ce qu'ils veulent c'est des berceuses. Faire la sieste pendant soixante-dix ans. Mais ils se disent qu'il faut avoir des goûts. Faut savoir ce qu'on aime, ce qu'on aime pas. Faut être un individu. Ça veut dire : apprendre ce qui est de bon goût. Puis dire qu'on l'aime. Dire que tout le reste, c'est dégoûtant. Bernald est pas comme ça. Il prend son pied avec mon gadget japonais. Il tient les fiches perforées contre la lumière. Essaie de deviner le compositeur à vue d'œil, par le dessin que forment les trous. Puis il le fait passer dans la machine. Ça l'épate de faire de la musique avec une manivelle. Comme moudre du café. Même principe que pour les pianos mécaniques et les orgues de Barbarie, sauf que c'est grand comme un portefeuille. Bernald est comme moi. Il adore les jouets. Il passe d'abord une invention de Bach. On l'écoute quatre fois. Du début à la fin. De la fin au début. Puis on retourne la carte. Inversion, début à la fin, fin au début. Ça donne quatre inventions de Bach. Lili fait semblant de lire. Elle se demande si c'est pas du sacrilège. On prend Mozart. On le met sens dessus dessous. Dans la quatrième position, ça donne presque de la musique moderne. Bernald a les yeux tout ronds. On prend Beethoven. Ça donne de la bouillie, naturellement. Lili se lève d'un air triomphant. La preuve que Bach c'est mieux que tous les autres ! La preuve que Bach c'est authentique. Dans tous les sens c'est le bon sens.

Qu'est-ce que les gens sont intoxiqués par le bon sens. Ça les rassure. Le monde à l'envers, ils supportent pas. Une invention quatre fois pareille

c'est bon. Une invention vraiment *inventée* ? Chiche.
Je prends une fiche vierge. Je la poinçonne. Je compose un morceau sous leurs yeux. J'écris rien. Je
fais des trous. Comme naguère pour les tickets de
métro. Je travaille vite. Des trous en haut, en bas,
et au milieu en ligne verticale. Ça donne des intervalles qu'on peut pas jouer sur le piano. Puis des
cascades rapides en quarts de tons. Puis de grands
silences. Je leur passe la fiche. Moi, je sais ce que
ça va donner. Je l'entends rien qu'à le regarder.
Bernald aime. Lili aime pas. Trop arbitraire. Rien
pour s'accrocher. Je passe à l'envers. Lili s'ennuie.
Va chercher à boire. De l'alcool. Encore l'endor-
missement. Elle allume une cigarette. Je râle. Encore
des drogues. Je me fâche, la traite de dégénérée.
Elle rigole. Condescendante. L'air de dire : Petit
Julot va piquer sa crise de nerfs. Il est surdoué
peut-être mais naïf. On va tenter de lui expliquer.
"C'est pas tellement la mélodie qui me manque,
dit Lili. Je demande pas qu'on me donne des airs à
siffloter." Encore heureux. "Je crois que c'est le
rythme. Peut-être parce qu'il y a un rythme authentique du corps. Le cœur. Les poumons. Le sang qui
circule. Et dans la nature aussi. Le jour et la nuit.
Les saisons. Les gestations." La revoilà la nature.
Je l'attendais au tournant. On veut pas la lâcher.
On parle des poumons en fumant une cigarette. Puis
on s'essouffle à monter ses deux étages. Le rythme
authentique. Je dis rien. "Les nouveaux rythmes,
j'ai rien contre, dit Lili. Je suis pas réactionnaire à
ce point. Les rythmes de jazz, par exemple. Les

syncopes. Ou *Take Five*, avec cinq noires par mesure au lieu de quatre. Mais toi, dans ta musique, tu enlèves absolument tout point de repère. On sait plus par rapport à quelle norme on s'est écarté. C'est pour ça que je l'appelle arbitraire. Est-ce que tu comprends ?" Naturellement, je comprends. Elle a pas envie d'être prise au dépourvu. Heurtée par la musique. Choquée. Elle veut piger du premier coup. Un peu d'ordre là-dedans. Un peu de 1-2-3-4, s'il vous plaît. Ou 1-2-3-4-5, à la rigueur. Marchons, marchons, tapons tous du pied. Injecter un peu de corps dans tout cela. De l'humain. Un peu de "gestation", s'il vous plaît. Faut surtout pas que la musique soit autre chose que de la carcasse. Autre chose que ce qu'on connaît déjà : pipi-caca-dodo. Pipi à l'heure caca à l'heure dodo à l'heure musique à l'heure. Lève-toi, couche-toi, mange-ta-soupe, écris-ta-musique, et fais-un-enfant-à-ta-femme. Gagne ta vie. Elle est pas donnée. Faut pas croire. *Gagne* ta vie. *Tue* ton temps. *Un*, deux, trois. *Un*, deux, trois. *Jo*hann Strauss. *Tourne* en rond. *Tourne* en rond. *Tourne* en rond –

VARIATIO XIX

Grâce

Cette crème ne marche pas mieux que la précé-
dente ; il va falloir que je change de dermatologue.
Encore des heures blanches dans une salle d'attente
avant de rencontrer une vieille mémé qui va me
dire comme toutes les autres : "Mais mon pauvre
garçon, il s'agit d'un cas d'acné tout à fait banal,
ce n'est qu'une survivance de votre adolescence,
lavez vous quatre fois par jour au savon de Marseille et vous verrez, ça partira dans une semaine."
Plus de six *mois* maintenant que ça dure, alors que
je n'ai jamais eu de problème de ce genre pendant
mon adolescence, précisément. J'ai horreur des
boutons. Cette pustulence représente l'irruption du
dedans du corps sur le dehors. La putréfaction sur
une surface qui devrait être lisse. Mme Schneider
n'est pas beaucoup mieux. Elle m'incite à chercher
le destinataire de mon symptôme. "Acné", cela ressemble à "acmé". Ou à ac (couché), *né*, avec un
refoulement du signifiant "couché". Peut-être qu'in-
consciemment je résiste au fait d'être allongé sur
son divan, depuis *six* mois, comme par hasard ?

153

Peut-être voudrais-je être "né" sans passer par les douleurs de l'accouchement ? Je n'en ai rien à faire, je veux guérir.

Pierre se moquerait, bien sûr, de cet énoncé. Il parlerait de la séparation du corps et de l'esprit, la supercherie *nec plus ultra* de la religion chrétienne. Il me traiterait de catho clandestin. Déjà il considère que la psychanalyse n'est rien d'autre que la confession *new-look*. A cette différence près : qu'elle se paie. Et qu'on initie même les bonnes femmes aux mystères de ce sacré moderne. "Tu as l'air un peu désemparé aujourd'hui, tu viens de voir ta curée ?" Il l'appelle ma curée. Ce jeu de mots sur la cure psychanalytique me paraît tellement stupide que je ne lui réponds même pas.

Nos intérêts divergent d'ailleurs de plus en plus. On continue de se voir parce qu'à l'âge de dix-huit ans, c'était la grande amitié, mais en fait on cherche de quoi parler sans froisser l'autre. Lui fait de la politique, se targue d'avoir les pieds sur terre et de ne pas se laisser tenter par l'opium nihiliste de ses contemporains. Ses avis sont toujours catégoriques, même s'ils se modifient de semaine en semaine. Cela me fatigue. Quant à moi, ce n'est même pas la peine de lui raconter que j'ai assisté avec enthousiasme au séminaire de Franz Blau cette année, "La psychanalyse de l'opéra". Je sais que ça le ferait rire. Pourtant, ce séminaire est la seule chose qui me rend la vie vivable en ce moment. Tout le reste m'ennuie. Les journaux, les livres, les revues n'arrêtent pas de sortir et c'est toujours la même chose. Les discours politiques, c'est encore pire. Blau, au moins, s'aventure sur un terrain inexploré. C'est fantastique. Sa théorie de l'opéra comme familialisme musical. Le père, la mère, le fils, la fille : basse, soprano, ténor, alto. La soprano serait donc la mère... Ça m'a fait réfléchir. J'avais lu une fois l'étude clinique d'une actrice professionnelle. Elle avait une façon très singulière de parler de sa voix. Quand elle était en bonne forme, disait-elle, sa voix devenait pointue, de plus en plus grande ; parfois elle devenait si dure qu'elle pouvait presque la sentir. Tout son vocabulaire était directement transposable au registre sexuel... non pas celui d'une femme, mais celui d'un homme. Elle parlait de s'"exhiber", et sa voix était son "outil"... Cette équivoque m'avait frappé. En revenant du séminaire de Blau, j'ai mis un disque de la Callas et je l'ai écouté dans cette perspective. Pourquoi avais-je toujours eu des frissons à entendre chanter les grandes sopranos ? Ce sont des frissons à la fois voluptueux et déplaisants. La peur... la peur que la voix ne se casse. Au cours d'une aria, juste au moment le plus beau et le plus difficile, cette voix, qui est devenue plus qu'une voix, quelque chose de tangible, pourrait défaillir, flancher, s'interrompre, et me précipiter dans le vide. Comme dans les bandes dessinées où les personnages ne s'aperçoivent pas qu'ils ont dépassé de deux mètres le bord de la falaise : mais dès qu'ils regardent en bas, la loi de la pesanteur se remet à fonctionner. La soprano serait donc bel et bien la mère, mais pas n'importe laquelle : la mère phallique ? La jouissance que procure sa voix serait celle de l'inceste, et la crainte qu'elle inspire, celle d'être ramené brutalement à la réalité par la Loi du Père ? J'ai formulé cette question au séminaire le mois dernier et Blau n'avait pas l'air convaincu. "Comment expliquer, dans ce cas, que l'on ait châtré – littéralement cette fois – des *hommes*, afin qu'ils gardent précisément leur voix de soprano ?" La fois suivante, il nous a fait écouter un enregistrement, très rare, du seul castrat qui ait vécu au XXe siècle. Cela a produit sur l'assistance l'effet d'une bombe. Personne n'avait jamais rien entendu de pareil. Cette sonorité n'avait aucun rapport avec une voix de haute-contre. Elle suscitait le même malaise que lorsqu'un malade mental vous regarde directement dans les yeux. Ses yeux sont beaux, clairs, confiants... et complètement vides. C'était cela la voix du castrat : angélique, donc inhumaine. L'Eglise catholique châtrait, vers l'âge de treize ou quatorze ans, les adolescents qui avaient les plus belles voix, afin qu'ils continuent de chanter *soprano*. Les femmes ne pouvaient pas devenir enfants de chœur, donc les enfants de chœur sont devenus des femmes. En fait, on ne coupait pas vraiment la verge, comme aime l'imaginer tout le monde. On faisait simplement une incision dans chaque testicule, afin d'empêcher la transmission des hormones mâles de la glande thyroïde jusqu'au scrotum. Ensuite, bien sûr, le jeune homme était impuissant à vie ; souvent il grossissait de façon monstrueuse à cause

156

du déséquilibre hormonal ; presque toujours il mourait avant l'âge de quarante ans. Pour la gloire de Dieu.

Mais je ne vois pas en quoi cette pratique barbare invaliderait mon hypothèse à propos de la mère phallique. J'en ai parlé hier à Mme Schneider. Elle a demandé le nom de ma soprano préférée. "La Callas, bien sûr." Elle m'a dit qu'en effet "Callas" pouvait rimer avec "phallus" et qu'en plus le prénom de la chanteuse, Maria, était précisément celui de la Vierge Mère, et que donc mon problème était certainement que j'avais envie de coucher avec ma mère. Ce n'était pas exactement ce que je cherchais à éclaircir… Mais elle m'a souvent fait remarquer que la théorie n'avait aucune place sur le divan.

J'aurais envie d'écrire un article là-dessus et de le montrer à Franz Blau. J'y parlerais de Nijinski, qui a chuté au milieu d'un saut spectaculaire et qui en est devenu, sur l'instant, complètement fou. On l'a ramassé de la scène où il était tombé et on l'a enfermé dans un asile d'aliénés. Il avait vécu *la* chute paradigmatique : la mort avait fait irruption au milieu de la vie ; il n'y avait pas eu d'autre achèvement possible de ce saut-là. Je parlerais aussi du cas de la jeune soprano qui a fait un enregistrement parfait de la *Casta Diva* et qui n'a plus jamais rouvert la bouche, ni pour chanter ni pour parler. Elle avait atteint l'acmé, elle savait qu'elle ne chanterait plus jamais aussi bien, donc ce n'était pas la peine de continuer. A dix-neuf ans elle était comme morte. Dix-neuf ans, c'est-à-dire le même âge que cette fille qui est venue s'asseoir à côté de moi. Elle lui ressemblait peut-être. Un corps mince et androgyne, sans rondeurs. Les sopranos grossissent toujours, exprès, afin d'accroître la puissance de leur diaphragme. Elles deviennent de plus en plus monstrueuses dans les rôles de jeune première. J'ai vu des Traviata qui ressemblaient à des vaches. Pendant la scène de la mort on aurait dit qu'elles mettaient bas, plutôt que de se volatiliser. La Traviata doit être une fille évanescente, diaphane, presque transparente. Celle-ci serait admirable dans le rôle. Je la verrais bien en train de dépérir de tuberculose. La peau qui devient peu à peu translucide. Les membres qui se fragilisent et s'abandonnent à leur poids de plus en plus négligeable. Les os du squelette qui deviennent visibles à travers l'enveloppe de chair. Le visage qui se dessine de plus en plus précisément, les lignes du corps qui se dégagent avec une finesse toujours accrue. Enfin, en un instant indiscernable, le trépas : les poumons se laissent envahir par l'air pour lequel ils luttaient une seconde auparavant. Le corps n'est plus que souffle.

C'est la seule belle mort, la seule mort sans abjection. Non, il y en a une autre, comparable pour sa grâce : la mort du taureau dans une *feria* professionnelle. La *feria*, c'est du reste la seule passion que nous continuons à partager, avec Pierre. Hélène fait la fine bouche, elle parle de "pratiques barbares". Elle ne nous accompagne jamais et c'est très bien comme ça. Mais je suis certain que cette fille, elle, aimerait les corridas. Je le dirai à Pierre, après le concert ; nous imaginerons dans le détail un après-midi passé avec elle à Séville. Elle s'appellerait Ariane. Elle serait assise entre nous deux. Elle ne crierait pas vulgairement, comme le font les femmes espagnoles, en lançant des roses et des mouchoirs dans l'arène. Elle aurait le regard halluciné. Elle fixerait le taureau, et seulement lui ; jamais le matador ni les picadors. Elle regarderait la danse macabre de la bête ; elle suivrait chaque contorsion et chaque feinte. Les rigoles de sang la feraient trembler : non pas d'écœurement mais d'excitation. Elle s'enlacerait le corps de ses bras, les mains agrippées à ses propres côtes. On verrait les articulations des doigts devenir roses, puis blanches. Le taureau chancellerait et elle s'appuierait contre nous, comme si elle était en proie au même vertige. Les rugissements de la foule ne parviendraient même pas à ses oreilles. Elle deviendrait de plus en plus pâle sous le soleil lancinant, comme une photographie surexposée. Et quand le moment viendrait – l'épée levée, l'éblouissement, la lame suspendue, l'haleine retenue – son corps immobile se cabrerait soudain, les épaules se hausseraient, les yeux se révulseraient et la tête tomberait en arrière pour attendre le coup de grâce. "Le coup, de grâce." "De grâce, le coup." Mourir, *foudroyé par la grâce*. Comme Nijinski. Est-ce que j'arriverai à reconstituer tout cela demain sur le divan ? Quel sens dissimulé faut-il que je m'attende à y trouver ? Ariane et le Minotaure ? Le labyrinthe des entrailles maternelles ? Taureau-Thorer ? *Mi-no-thor* : Je ne suis pas Thor, dieu de la guerre, Vulcain, volcan… serait-ce peut-être la forclusion du Nom du Père ?

VARIATIO XX

Figer

Il aurait fallu que je repasse la jupe, mais à ce moment-là il y aurait eu autre chose pour m'obséder, ç'aurait été mes jambes mal rasées ou bien mes ongles rongés ou bien mes cheveux sales. N'importe quoi, pourvu qu'il y ait une imperfection quelque part à laquelle je puisse river mon attention. Et comme toujours je serais restée avec deux certitudes contradictoires : d'une part je *sais* que tout le monde me regarde et me critique pour ma tenue et mon comportement inconvenants ; d'autre part je *suis* que je délire. En fait – *dans les faits* –, les gens ne me disent jamais que des choses gentilles. Ils disent que je suis belle, douce, et sympathique, que j'ai toute ma vie devant moi : quelle chance d'avoir tant de talents et tant de jeunesse pour les réaliser. Mais quand j'ai le dos tourné il me semble qu'ils se moquent de moi, qu'ils disent des choses à voix basse qui sont la vérité. Ils disent que je suis folle. Mais je fais semblant de ne pas les entendre. Je redoute toujours de parler avec des gens. Ce soir on s'est dit avec Nathalie qu'on partirait tout de suite après le concert. On laissera sa mère à ses mondanités et on ira l'attendre dans le jardin. Quand je parle avec des gens, je ne sais pas comment jouer le jeu, c'est comme s'il y avait des règles connues de tout le monde sauf de moi. Parfois je me dis que j'ai dû m'endormir à un moment donné dans mon enfance, pendant un an, et que c'est justement cette année-là que les autres ont été initiés aux règles du jeu. Je me sens larguée et j'ai peur qu'on s'en aperçoive, alors je fais un grand effort, je plaque sur mon visage une expression quelconque en espérant que cet arrangement de ma physionomie correspondra à l'idée qu'ils se font d'une jeune fille "animée" ou "curieuse" ou "intelligente" ; j'essaie de me voir à travers leurs yeux. Mais ensuite je m'affole à l'idée qu'ils vont réellement me juger là-dessus : toute cette comédie aboutira fatalement à un *avis* sur ma personne, alors qu'elle n'a rien à voir avec ce que je suis au fond.

Ce que je suis au fond, c'est ce que j'aimerais bien savoir. Il me semble que je ne suis absolument rien et que je pourrais être absolument n'importe quoi. Tout ce que les gens projettent sur moi je l'assume, j'essaie de deviner quelle image de moi leur ferait le plus plaisir, et de la renvoyer. Le pire, c'est que ça marche. Après, quand je suis seule, je me sens vidée et coupable, parce que j'ai trahi l'autre personne et je me suis trahie moi-même. Tout ça est tellement épuisant que je préférerais rester tout le temps seule. Il n'y a que Nathalie avec qui j'arrive à parler de ces choses. Elle est exactement comme moi sauf qu'elle vit encore avec sa famille ; elle n'est pas complètement larguée. Moi je suis seule, maintenant, la plupart du temps. Ça impressionne beaucoup les gens. Dix-huit ans, et tu gagnes déjà ta vie comme mannequin ! Dix-huit ans, et tu as déjà ton propre studio ! Je les trouve cons. Ce qui est étonnant, ce n'est pas qu'une fille de dix-huit ans soit indépendante, c'est que les adultes le soient si peu. Plus je m'approche de l'âge adulte, plus je me sens déçue. J'ai toujours pensé que les adultes savaient énormément de choses sur la vie, qu'ils avaient une sagesse et un savoir-vivre que j'allais acquérir moi aussi. Au fond, dans l'ensemble, ils sont encore moins sûrs d'eux que les enfants. Ça me dégoûte, leur insécurité. Les hommes qui me regardent dans les yeux et qui me disent : "Seulement dix-huit ans ! Mais quelle maturité ! On t'en donnerait vingt et un !", ça m'écœure. Je n'ai rien à foutre de mon âge, ça ne change rien à rien, je suis aussi déprimée qu'une femme de cinquante ans, sinon plus. Je ne sais pas comment j'arriverai jusqu'à cinquante ans, ça me paraît impossible. Déjà je me sens si fatiguée, je dois faire un effort herculéen pour me lever chaque matin. Comment faut-il s'y prendre pour *vivre* ? Comment font les autres ? Personne ne me dit rien là-dessus, ils ne disent que des choses débiles : "Qu'est-ce que tu as de la chance, d'être si jeune et si belle et patati et patata." La grande carrière de mannequin que je vais avoir, et peut-être actrice un jour si quelque directeur de cinéma s'entiche de mes jolies jambes. Ils ne me disent pas comment supporter l'horreur et la débilité. Ils ne veulent rien en savoir. Ce qu'ils appellent "débile", c'est par exemple les enfants avec qui j'ai travaillé l'été dernier. Ça, ils sont contents que ça existe. La folie très voyante, ils la supportent, parce qu'ils peuvent se dire qu'au moins ils n'en sont pas là. Les têtes gonflées, les bras maigres, les petites filles qui pissent dans leur culotte, les garçons à lunettes qui bavent, les gosses qui se balancent dans un coin pendant des heures, ou qui piquent une crise et cassent tout : au moins on sait à quoi s'en tenir. *Ça*, c'est pas normal, c'est sûr ; donc *nous* on est normaux. Moi je suis devenue folle, personnellement, à travailler avec eux. Il y en avait douze et j'en avais la charge tout l'après-midi, de deux à sept. La seule chose qui les intéressait, tous en même temps, c'était la musique. Il suffisait que je batte un rythme sur une casserole pour qu'ils se regroupent autour de moi, les yeux grands comme des soucoupes. Et quand je chantais, c'était littéralement l'*enchantement*, j'étais comme le joueur de flûte d'Hamelin. Sans cela, le temps ne passait pas du tout, il se figeait. Je pouvais faire mille choses et penser à mille choses, et l'horloge pendant ce temps ne bougeait pas. Je lavais par exemple les draps d'un garçon de huit ans qui avait chié dans son lit. Ils étaient pleins de merde, je lavais, je lavais, ensuite je regardais mes mains rougies en train de tordre ces draps devenus incroyablement lourds, imbibés d'eau, et je me disais que ça pouvait durer une éternité comme ça ; que je pouvais être *toujours* là, dans la chaleur de la buanderie, en train de tordre maladroitement ces draps, avec les gouttes de sueur qui tombaient ; ça pouvait ne *jamais* s'arrêter, le temps pouvait se bloquer et ne plus redémarrer. J'ai paniqué, j'ai laissé tomber les draps sur le sol, je me suis précipitée dehors. Un des gosses était en train de taper sur la tête d'un autre avec un gros bâton. L'autre pleurait silencieusement. J'ai arraché le bâton et j'ai frappé l'agresseur, j'étais hors de moi, je hurlais, je hurlais, je l'ai frappé peut-être pendant une minute, et puis je me suis vue de dehors, et encore une fois j'ai été foudroyée par l'idée que ça pouvait durer indéfiniment – qui était cette harpie monstrueuse qui s'acharnait ainsi sur un corps d'enfant ? –, et je me suis effondrée, estomaquée, au milieu des enfants fous, sans plus un souffle dans tout mon corps.

Même à Nathalie je n'ai pas parlé de ça.

La folie est à deux pas de nous, elle est là, elle est déjà en nous, elle n'attend que le bon moment pour surgir.

Elle est *horrible.*

C'est ça qui me rend si photogénique : j'ai un corps de nymphette et des yeux qui ont vu des choses *horribles.* Une fois, dans une cabine d'essayage, je me suis surprise nue devant la glace et je me suis contemplée. Comment mon corps pouvait-il avoir gardé cette fraîcheur, quand j'étais intérieurement si abîmée ?

Je ne regarde presque jamais mon corps, alors qu'il est devenu professionnellement un objet de regard. L'œil de la caméra. Les photographes qui me prennent "sous le bon angle". Je ne bronche pas. Je bouge quand et comme ils me disent de bouger. Ça me laisse indifférente. Je ne leur donne rien de moi-même, seulement la surface. Ils ne sauront jamais à quoi je pense. Ils ne peuvent pas imaginer à quel point je me moque de leurs compliments. D'ailleurs, c'est tellement prévisible, ils disent tous la même chose : "Tu ressembles à un tableau de Botticelli, *la Naissance de Vénus.*" Ils veulent m'impressionner avec leur culture artistique et c'est le seul tableau au monde qu'ils connaissent. Il y en a qui veulent qu'on sorte ensemble après une séance de travail ; je dis toujours non. Ils pensent que c'est parce que je suis vierge, ça les arrange de penser que je suis vierge alors que j'ai été dépucelée à l'âge de quatorze ans. Ça les excite de penser qu'ils seraient le premier. C'est tellement con. Le sexe, ça ne m'intéresse pas.

La seule fois que ça m'a plu, c'était avec Gabriel Elliott qui joue dans le groupe de Frédéric Dumont. Ça me flattait beaucoup d'être au lit avec un pianiste de jazz. Il avait exactement deux fois mon âge, mais ça n'avait aucune importance. Après qu'on a eu fait l'amour, au lieu d'avoir envie de me sauver tout de suite comme d'habitude, je me suis sentie merveilleusement détendue. J'ai dit : "Je t'aime", et il a répondu : "Moi aussi." Ensuite j'ai dit : "Je voudrais que tu me dises que je suis la maîtresse la plus *quelque chose* que tu as jamais eue." J'avais envie d'être *très, très* quelque chose, n'importe quoi.

J'ai toujours voulu savoir quels adjectifs *extrêmes* les autres pouvaient m'appliquer, dans l'espoir que ça m'aiderait à me définir moi-même. Avec Gabriel, j'avais enfin assez confiance en quelqu'un pour lui poser cette question. Qu'est-ce qu'il m'a répondu ? "Tu es la maîtresse la plus *jeune* que j'ai jamais eue, ça c'est sûr !"

C'était comme une gifle. Je me suis rhabillée et j'ai quitté sa chambre d'hôtel. C'était fini le rêve d'amour. C'est comme ça les gens, ils sont vraiment cons, presque tous, ils ne savent rien ni sur la vie ni sur l'amour, alors ils passent leur temps à faire semblant. Ils donnent par exemple des concerts de musique de chambre où ils viennent tous pour échanger leurs potins et comparer leurs fringues. Ils font ça pour ne pas penser à l'horreur. Ils savent qu'ils vivent dans un monde horrible mais ils sont impuissants à le changer, tout ce qu'ils peuvent faire c'est essayer d'atténuer leur culpabilité d'intellectuels de gauche. Avec Nathalie on a envie de faire un film qui s'appellerait *l'Intellectuel de gauche*. Le héros c'est un cheval. Il se promène sur une route de campagne. C'est une belle journée ensoleillée de printemps. Les feuillages des arbres se mélangent au-dessus de la tête. Les oiseaux gazouillent. Au bord de la route poussent des petites fleurs des champs aux couleurs tendres. Le cheval s'avance d'un pas allègre. Il regarde droit devant lui. Il porte des œillères.

Il hume l'air du printemps. On voit ses narines frémir.

Ensuite, très lentement, la caméra se déplace. Dans les fossés qui longent la route, elle découvre des cadavres en train de se décomposer. Des enfants en train de crever de faim. Des mendiantes, la main squelettique tendue, les yeux hallucinés. Dans les branches des arbres, on voit des hommes pendus. Ce sont des Noirs lynchés. Au-delà, les champs et les collines sont jonchés de soldats morts, les membres éparpillés. Plus loin encore, dans l'arrière-plan, ce qui ressemblait à une montagne s'avère être les monceaux infinis de juifs gazés à Auschwitz. Petit à petit, on commence à entendre des gémissements, des plaintes, des cris d'agonie qui viennent s'ajouter au gazouillement des oiseaux. Ces sons augmentent jusqu'à devenir insupportables, à mesure que la caméra inclut dans son champ le paysage de plus en plus étendu des horreurs que l'humanité s'est infligées. Enfin, brusquement, la caméra revient au cheval. Gros plan des narines qui frémissent et des oreilles qui frétillent.

Ici, dans cette pièce, on n'entend que le gazouillement. On ne veut rien entendre d'autre. La musique, ça sert à ça, à nous distraire de l'horreur. Dans les camps de concentration nazis, les prisonniers eux-mêmes étaient forcés de jouer dans les orchestres symphoniques, en attendant leur tour d'être exterminés. Moi j'ai fait la même chose exactement, avec les enfants débiles : je chantais pour qu'ils pensent à autre chose qu'à leur prison. Et ça marchait, mais qu'est-ce que je me détestais ; ce que je déteste le plus c'est que ça marche.

VARIATIO XXI

Vert
l'avais jamais vue fumer comme ça. Elle m'a dit
dans la voiture en revenant de la gare que dans un
monde comme le nôtre, elle se méfie des gens qui
ne fument pas. Qu'elle se méfie des gens non névro-
sés. Elle parle comme ça maintenant, elle emploie
des mots comme "névrose", "psychose", "para-
noïaque", comme si elle disait "arbre", "fleur", "maison". Je ne sais pas quand elle a commencé à parler
comme ça. J'ai mal pour elle. Lili, ma petite Lili,
ma toute petite Liliane, *ah Lillian, my little Lil,
my little girl.* D'où vient-il que tu aies tant de colère
à expulser ? Elle dit que la colère est une chose
qui l'aide à vivre ; que c'est d'elle qu'elle tire la
plupart de ses forces. Quand est-ce qu'elle a appris
cela ? Qui le lui a appris ? Toute son enfance je
l'ai encouragée à découvrir les forces en elle et à
les faire s'épanouir. Ce minuscule corps tout blanc
qui grelottait de fièvre, je le tenais dans mes bras
au-dessus de l'évier, je versais de l'eau tiède sur la
peau brûlante, je chantais les ballades dont je me
souvenais de ma propre enfance.

In Dublin's fair city, where girls are so pretty
I first set my eyes on sweet Molly Malone
She wheeled her wheelbarrow through streets broad
    and narrow
Crying "Cockles and mussels, alive-alive-oh !"...

tous les versets jusqu'au dernier :

She died of a fever and no one could save her
And that was the end of sweet Molly Malone
Now her ghost wheels her barrow through streets
    broad and narrow
Crying "Cockles and mussels, alive-alive-oh !"

Elle est morte de sa fièvre, la douce Molly, mais toi tu vis encore, Lili, j'ai toute ta vie entre mes deux mains et je te la rendrai belle, tu auras la santé, tu vivras dans la lumière, et je chantais encore :

I once was a bachelor, I lived by myself,
I worked at the weaver's trade,
And the only, only thing that I did that was wrong
Was to woo a fair young maid.
I wooed her in the wintertime
And in the summer too-oo,
And the only, only thing that I did that was wrong
Was to keep her from the foggy, foggy dew.

Nous vivions seuls tous les deux, je voulais tout lui donner, nous nous tenions chaud pendant le long hiver pluvieux, et au printemps chaque année je l'emmenais avec moi faire une promenade le long de l'Aven, je lui montrais les bourgeons, les feuilles naissantes, le miracle de la nature qui se renouvelle, ses yeux s'ouvraient tout grands, elle fouillait dans l'herbe pour me rapporter les minuscules fleurs blanches qui y poussaient. Qu'ai-je fait de mal ?

> *The only, only thing that I did that was wrong*
> *Was to keep her from the foggy, foggy dew.*

La rosée brumeuse, brumeuse au-dessus de la rivière, ta mère est allée à sa rencontre un matin de printemps, tu ne t'en souviens pas, Lili, tu as des souvenirs d'elle mais ils sont vagues et incolores, ta vie en couleurs commence ce jour du printemps où elle n'était plus, et où je me suis juré que je te rendrais éclatante de lumière et de joie.

Je te vois tout en noir maintenant et je crois revoir Louise. Quand Louise est morte elle n'avait même pas ton âge. Tu étais toute petite, tu ne t'en souviens pas, tu ne l'as pas pleurée. *Little Lil, my tiny child.* Je te revois, si gaie pendant nos vacances au bord de la mer, tu faisais des galipettes, tu voulais être acrobate quand tu serais grande, d'où t'est venue cette barre de fer dans le dos ? Quand est-ce que tu as commencé à vivre ta vie avec détermination, au lieu de la vivre avec espièglerie ?

Elle a découvert le clavecin. Je lui avais trouvé un professeur de piano et elle semblait aimer cela, mais un jour – douze ans ? treize ans ? – elle a découvert le clavecin. Elle avait pour cet instrument une attirance morbide. *"Daddy, for Christmas, please. One wish."* Tu commençais à t'éloigner de moi. Je m'y suis résigné : c'était le début de ton adolescence ; il fallait qu'un jour ou l'autre je me fasse à l'idée de te perdre.

Elle jouait du clavecin de la fin de l'après-midi jusqu'à minuit, enfermée dans sa chambre, comme ici.

Tu ne me parlais plus, tu ne me montrais plus tes poésies. Tu es devenue taciturne, insaisissable, un fantôme qui divaguait dans la maison. *"Darling, why are you so noody these days ? – I'm moody, that's all."* J'essayais de plaisanter : *"You may have a well-tempered harpsichord, but you're turning into a very bad-tempered harpsichordist."* Elle ne riait pas. Je me suis aperçu qu'elle ne riait plus jamais. Mais elle jouait du clavecin de plus en plus.

Cette pièce de Bach, je la reconnais, elle la jouait déjà à l'âge de seize ans. Ce n'était pas une musique pour elle : si stricte, si ordonnée, alors qu'elle était toute légèreté et toute lumière.

Like a fairy my wee Lil, a tiny fairy flitting among the first flowers. Je t'avais parlé des *leprechauns*, ces êtres fantastiques qui se cachent dans les collines irlandaises. Il faut regarder de très près pour les voir parce qu'ils sont toujours habillés de vert. Tu as voulu savoir si les leprechauns pouvaient voir les fées et inversement. Mais oui, mais oui, *my wee little Lil.* Je t'habillais tout en vert et tu te cachais dans les arbres. "Est-ce que tu me vois, papa ? – Non, où es-tu ? – Je vais te jeter un sort. – Impossible, je suis un ogre et je peux manger l'arbre tout entier." Tu hurlais de rire. Je me mettais à genoux au pied de l'arbre. "Mmmnh, que c'est bon, cette écorce, mnyum, mnyum, et pour le dessert je crois que je vais m'offrir une petite leprechaune. – Non, monsieur l'Ogre, pas question. Je vais te changer en araignée. – Aargh ! Tout sauf ça ! Je t'accorderai trois vœux si tu me laisses la vie."

Three wishes. "Un ! Je voudrais que tu ne pleures jamais. Deux ! Je voudrais que tu sois toujours gentil avec moi. Trois ! Je voudrais que tu me chantes une berceuse. Tout de suite !"

Nous parlions la langue de ta mère mais je chantais tes *lullabies* en anglais :

Rock-a-bye baby on the treetop – j'entends encore
   les rires –
When the wind blows the cradle will rock
When the bough breaks, the cradle will fall
And down will come baby, cradle and all.

Pourquoi y a-t-il toujours quelqu'un qui meurt dans les berceuses ? Tu dégringolais de l'arbre par la corde de la balançoire et j'allais faire couler ton bain. Le soir au lit, tu me demandais de te parler encore des leprechauns. "Ils savent tous jouer de la harpe. – Moi aussi, je vais apprendre à jouer de la harpe." *Yes, Lillian, a harp would have been so much better than a harpsichord.* Tu aurais pu l'emmener avec nous dans nos promenades matinales le long de l'Aven. Tu aurais joué des airs irlandais en frôlant les cordes de tes doigts. La harpe, c'est un instrument qui laisse passer les airs. Dans un clavecin il n'y a aucun air qui passe. Aucun répit. Surtout dans Bach. Ça commence et ça ne s'arrête plus,

173

on voudrait souffler un peu, s'étirer les membres, c'est impossible. Quand tu t'es mise au clavecin, tu t'es transformée de fée en forcenée. Tu t'es imposé une discipline féroce, comme si ta vie en dépendait. *You played right through the wintertime, and through the summer too–*

But then you did stop playing for many years.

Quand tu as quitté la maison, tu m'as laissé ton clavecin. Je ne savais pas quoi en faire. Il n'y a rien de pire qu'un instrument silencieux. C'est toujours un reproche. Qu'est-ce que tu me reprochais ? Je cherchais, mais je ne trouvais pas.

I didn't hold you back, my sweet fairy. I let you fly away. I had no choice but to trust you and hope that your wings would be strong enough.

Tu m'écrivais des lettres laconiques sur ta vie à Paris. Tes expressions d'affection à la fin me blessaient. *"All my hugs and kisses to my dear old Dad."* Je ne te connaissais plus. *Had I lost you, too, to the foggy, foggy dew ?* Ton enfance me semblait n'avoir duré que l'espace d'un éclair. Tu avais disparu dans la nuit. Dans la brume. Tu m'envoyais de plus en plus rarement de tes nouvelles. Une fois tu es venue avec ton ami Pierre, sans prévenir. On a partagé le repas de solitaire que je m'étais cuisiné. On n'avait rien à se dire. Tu avais voulu montrer à Pierre la balançoire en vannerie que j'avais accrochée dans l'arbre ; elle n'y était plus. Tu étais furieuse. Mais pourquoi l'aurais-je laissée ?

Une autre fois tu es venue seule à Noël, tu es arrivée au milieu de la nuit sous une pluie battante, avec un cadeau : un disque de musique pour harpe seule. Nous l'avons écouté en buvant du whisky au café, c'était devenu ta boisson préférée, l'*"Irish coffee without the sentimental cream"*. J'ai remarqué que tu buvais beaucoup. Puis tu as commencé à me poser des questions sur Louise. Comment était-elle ? De quoi parlait-elle ? Quelle musique aimait-elle ? Pourquoi s'était-elle noyée ? Pourquoi ? Tout cela, l'eau du fleuve, la musique de la harpe, le liquide brûlant dans nos gorges, les silences insondables de Louise, la noirceur de ses yeux, la noirceur de tes yeux, le liquide noir qu'on buvait, le noir de la rivière qui tournoyait là où son corps avait disparu, tout cela s'est mélangé, je me suis mis à pleurer, les larmes coulaient chaudes, la harpe, la mort de Louise, *ah no, ah no, Lillian, you too have left me alone and you too started weeping and holding me in your arms and singing to me lay thee down now and rest may thy slumber be blest*, et nous nous sommes endormis –

Le temps a encore passé. Il fait cela. Il rapproche les êtres qui se sont séparés et il les sépare de nouveau. Cette nuit-là n'est plus qu'un souvenir que je dois ranger avec les autres, à côté de la petite fille riante et de l'adolescente boudeuse. Ces images sont étalées côte à côte dans ma tête et elles ne font pas sens. Je ne te connais pas, Liliane. Cette femme qui m'envoie une invitation pour son concert des *Variations Goldberg* m'est une parfaite inconnue. Elle a des amis que je n'ai jamais rencontrés, des problèmes que j'ignore, des valeurs qui me sont étrangères. Je n'attends plus qu'elle vienne me rendre visite dans ma maison. Cela fait plusieurs années qu'elle n'est plus venue.

Again I'm a bachelor, I live by myself,
I work at the weaver's trade,
And the only, only thing that I do that is wrong
Is to think about my fair young maid.

Je n'y pense presque plus. Ma solitude, je la chéris maintenant. Chaque matin, en hiver comme en été, je marche seul le long de l'Aven, pendant des heures. L'aube a toujours été mon moment préféré de la journée. En Irlande, on dit que c'est le moment où les ailes des fées se transforment en gouttes de rosée.

VARIATIO XXII

Etrangeté

C'est peut-être l'influence de la pleine lune, ajou-
tée à celle du solstice, qui me fait sentir cette pres-
sion dans la poitrine. Conditions atmosphériques,
ou est-ce que c'est l'atmosphère créée par le concert ? Ou bien tout simplement mon inquiétude
annuelle à l'avènement de l'été : j'ai attendu cette
saison depuis tant de mois qu'il m'est pénible de
l'entamer, car accepter qu'elle débute c'est aussi,
inévitablement, hâter son achèvement. Par ailleurs,
j'ai un anniversaire début juillet et je n'ai jamais été
friand d'anniversaires. Le trente-neuvième cette
année, c'est-à-dire que je m'approche du chiffre
fatidique de la quarantaine. A mes oreilles de petit
garçon, quarante et quatre-vingts, c'était strictement
pareil. En un sens c'est vrai, puisque aussi bien le
temps s'accélère de plus en plus. Ma mère a presque
quatre-vingts ans maintenant, et les années ne sont
plus pour elle qu'une course effrénée aux offrandes
rituelles. Elle a à peine le temps de mettre à la poste
tous ses cadeaux de Noël, qu'il faut déjà penser à
acheter des cartes de vœux pour les anniversaires

de ses petits-enfants, et brusquement c'est encore l'automne avec Noël à l'horizon. Elle m'a envoyé une lettre le mois dernier, datée du 25 mai *1978*, et dont le texte commençait ainsi : "Mon Reynaud chéri, comme le temps passe vite !" En effet.

Trente-neuf ans, c'est trois fois treize : un chiffre faste multiplié par un chiffre néfaste ; je me demande ce que cela donnera. Peut-être une crise cardiaque. Il me semble que j'ai plus de rides déjà que Bernald, qui a pourtant plus d'années que moi. Les rides se voient beaucoup sur la peau blanche ; en Afrique il y a des vieillards qui ont l'air d'avoir vingt ans. Les Noirs ne changent à peu près pas d'aspect entre quarante et quatre-vingts : ils ralentissent, c'est tout, et un beau jour ils ne se lèvent pas le matin. Les crises cardiaques, ils ne connaissent pas. J'ai essayé une fois de leur expliquer, avec des gestes, ce qui se passe quand le cœur sautille dans la cage thoracique comme un petit animal malicieux, ou se met à taper tout d'un coup comme un batteur déchaîné – je leur ai même montré sur le tam-tam –, ils n'ont pas vraiment compris. Si je ne provoquais pas moi-même l'accélération, par exemple en dansant toute la nuit dans une fête de village, je n'avais à leurs yeux rien à craindre.

Ce serait bien mieux, du reste, de mourir comme ça, là-bas, par un excès de danse, plutôt qu'assis sur ma chaise dans un concert à Paris. Les Européens n'ont jamais su ce qu'était la musique. On dirait qu'ils ont un vague pressentiment qu'elle relève du sacré, mais ce pressentiment est tellement diffus, et leur notion du sacré tellement confuse, que ça crée systématiquement des situations d'un inconfort extrême. La conception d'une soirée comme celle-ci, si l'on y pense, est d'une bizarrerie ahurissante : trente personnes de diverses régions, voire de diverses nationalités, sont convoquées pour une heure précise. Ils prennent place les uns à côté des autres, face à une autre personne qui est l'instrumentiste. Au bout d'environ une heure et demie de silence et d'immobilité relatifs, pendant lesquels se produit la musique, ils vont taper – tous ensemble et tout d'un coup – dans les mains. Ensuite, ils allumeront des cigarettes, se verseront de l'alcool, et émettront des commentaires sur ce qu'ils viennent d'entendre. Chacun félicitera l'instrumentiste en lui serrant la main ou en l'embrassant sur les deux joues. Vers minuit, ils rentreront tous chez eux, pour ne plus se revoir sans doute pendant des mois ou des années.

Le phénomène de l'opéra est encore plus dément : des gens qui ne se connaissent pas font la queue devant un guichet pendant une nuit entière. Cela leur donne le droit d'acheter, à un prix exorbitant, un bout de papier cartonné. Deux semaines plus tard, ils reviennent au même endroit. Maintenant les hommes portent tous des costumes sombres ; ils ont un long ruban étroit, éventuellement coloré, noué autour du cou. Les femmes portent des robes longues et des colliers. Ceux qui ont payé leur billet un petit peu moins cher doivent grimper plusieurs escaliers, tandis que les autres pénètrent tout de suite dans une immense salle ronde et vide. Petit à petit arrivent les instrumentistes, pour disparaître aussitôt dans une trappe. En dernier arrive un homme qui porte un costume spécial avec deux pans de tissu qui lui tombent au-dessous des fesses. Il n'a aucun instrument, seulement une courte tige de plastique ou de métal ; pourtant c'est pour lui que les gens dans la salle tapent dans les mains. L'homme à la tige se tourne vers eux et se courbe depuis la taille. Il monte ensuite sur une petite boîte en bois. Il lève la tige en l'air. Tout d'un coup la salle est plongée dans le noir, à l'exception d'un plateau surélevé, derrière les musiciens, où l'on voit apparaître maintenant une femme. Elle porte des vêtements d'une autre époque. Elle traverse le plateau, suivie d'un petit cercle de lumière blanche. Les spectateurs tapent encore plus furieusement dans les mains. La femme chante quelque chose dans une langue qui n'est pas celle des spectateurs. Pendant ce temps elle est rejointe par un homme, lui aussi costumé à l'ancienne. La chanson de la femme prend fin. C'est à l'homme de chanter, mais il en est empêché par les spectateurs qui crient plus fort que lui : "Bravo ! Bravo !"

Ça c'est les adultes ; les jeunes c'est pire encore.

Dans une salle carrée, très littéralement une boîte, trois mille personnes se tiennent debout. Le prix d'entrée est moins élevé qu'à l'Opéra mais c'est parce qu'aucun musicien n'est présent, ni ne le sera au cours de la soirée. En lieu et place de musiciens, il y a un homme enfermé dans une cage de verre au fin fond de la salle. Devant lui, deux plaques métalliques qui tournent toutes seules ; sur chacune il pose une autre plaque en plastique noir. Au moyen d'une aiguille qui oscille dans leurs sillons, ces plaques produisent, en alternance, de la musique. Cette musique passe à son tour à travers d'énormes caisses noires recouvertes de trous qui amplifient de plusieurs dizaines de fois sa puissance. Les chansons ainsi jouées comportent des paroles – cette fois-ci dans la langue de ceux qui ont payé pour les entendre –, mais ces paroles sont rendues inaudibles, d'une part par les instruments de musique eux-mêmes, et d'autre part par le volume auquel elles sont transmises. Par contraste avec les deux situations précédentes, les trois mille personnes dans la salle ne se taisent pas, mais pour se faire entendre elles sont obligées de crier. En général, la moitié des gens communiquent de cette manière, tandis que l'autre moitié occupe la piste de danse. La danse consiste à déplacer le poids du corps d'un pied sur l'autre au rythme de la musique – invariable d'une chanson à l'autre – en remuant simultanément le tronc, les bras, et – s'il y a suffisamment de place – les hanches aussi. Chaque danseur se remue seul, bien qu'il puisse y avoir des couples (homme et femme, homme et homme, ou femme et femme) : cependant ils sont tellement pressés les uns contre les autres qu'ils se heurtent continuellement. En plus de la brutalité de la musique et de celle de la danse, ces lieux sont caractérisés par un jeu d'éclairage d'une violence inouïe : les danseurs sont mitraillés de lumières tantôt rouges, tantôt vertes, tantôt bleues ; et périodiquement – à des intervalles irréguliers – un éclair blanc comme la foudre déchire l'espace et donne à tous un aspect cadavérique. Cette impression est renforcée, du reste, par les habits, le maquillage et les coiffures des participants, qui appartiennent dans leur presque totalité à la jeunesse aisée de la grande ville, mais qui revêtent pour l'occasion tous les signes extérieurs de la misère la plus infâme.

Ou bien les Rolling Stones : comment qualifier ce qui se passe quand ils se produisent en public ? Les filles qui pleurent, les garçons qui rêvent d'être Mick Jagger ; les milliers de spectateurs qui se piétinent pour arriver plus près de la scène, plus près des cinq corps fétiches, si bien que ces corps doivent être entourés et protégés par une douzaine d'autres corps d'hommes forts, sans quoi la foule arracherait aux musiciens leurs chemises, leurs pantalons, leurs instruments, leurs chaussettes et leurs cheveux : la volonté de destruction inhérente à ces soirées ne pourrait plus être contenue. Ce qu'avaient bien compris les Who, qui fracassaient leur propre matériel sur scène à la fin de chaque spectacle. Ou Jimi Hendrix, qui versait de l'essence sur sa guitare à Woodstock, et l'immolait devant un public hystérique. Ou John Lennon, avant d'être abattu par un chasseur d'autographes.

La musique a tout à voir avec la mort, on le sait sans le savoir. D'autres le savent bien mieux que nous. Alors que dans l'Europe hypercivilisée du

XXᵉ siècle, la musique autorise ces déchaînements insensés – ce resurgissement incontrôlé de la "sauvagerie" –, dans ce que nous appelons les sociétés primitives, le lien entre musique et mort est mieux compris, et donc aussi mieux maîtrisé. Chez les Fataleka de la Mélanésie, il y a musique *exclusivement* pendant le déroulement, complexe et codifié, du rituel funéraire. Seuls les hommes ont le droit de se servir des flûtes fataleka, et seulement certains hommes. Les morceaux qu'ils jouent à chaque étape du processus ont été transmis, de génération en génération, depuis "toujours". Pas une note ne peut en être changée : les sons sacrés, et l'ordre dans lequel ils se produisent, doivent être perçus comme totalement inéluctables. Après, les flûtes sont rangées et personne n'y touche jamais : l'avenir de l'ancêtre et de son nom dépend du respect vigoureux de cette règle ; la musique fataleka n'a rien à voir avec une joyeuse distraction quotidienne.

Mais que se passerait-il si j'étais saisi, ici, maintenant, d'un malaise cardiaque ? Si mon cœur cessait soudain de suivre docilement les rythmes de Bach ? S'il se mettait brusquement à frapper du *ragtime* ? Que ferait-on ? Le concert s'interromprait. Bernald se précipiterait sur moi : "Reynaud ! Reynaud !" Les femmes pousseraient des cris, les hommes répliqueraient par des chuchotements. Ensuite arriverait l'ambulance avec sa sirène hurlante. De l'hôpital on enverrait un télégramme à ma mère. Les médecins marmonneraient autour de ma poitrine palpitante.

Tout le monde se mettrait à bouger au battement de mon cœur. On le brancherait sur une machine dont l'aiguille dessinerait ses mouvements erratiques. Mes sœurs viendraient assister au concert en haussant et en baissant les sourcils selon que l'aiguille monterait ou descendrait. Des infirmières courraient dans tous les sens en faisant claquer les portes dans le couloir. J'essaierais de parler. J'essaierais de leur dire… J'ai le droit de choisir la musique de mon oraison funèbre ; c'est un droit qu'on donne aux mourants dans ce pays. Voilà écoutez-moi : vous mettrez mon disque de tam-tams de l'Afrique noire. Je ne veux rien d'autre. Est-ce que j'arriverais à me faire comprendre ? Pas de requiems, pas de cantiques, pas de *Eine Kleine Nachtmusik* – non, maman, pas même ton cher Mozart. Les tam-tams, c'est cela. Le rythme et rien de plus. Des mains noires qui font vibrer le vide, ça vaut bien mieux que tous vos

VARIATIO XXIII

Jongler
"Et pourquoi, me dirait en ce moment mon gentil réanimateur, vous mettez-vous toujours dans des situations où vous vous sentez inférieure ? Si vous étiez restée chez vous ce soir avec un livre, vous auriez pu écouter les *Variations Goldberg* sans douleur. Aviez-vous vraiment besoin de vous prouver une fois de plus que les soirées vous mettent profondément mal à l'aise ? Pendant combien de temps allez-vous courir après les hommes qui pensent en espérant les aimanter par votre regard ? Combien d'années durera cette tentative de capturer l'intelligence par la beauté ?" Mais Bernald Thorer, c'est quand même différent. La preuve, c'est que, justement, c'est lui qui m'a invitée ici ce soir. Parmi toutes les étudiantes qui assistaient depuis des années à son cours avec une fidélité inconditionnelle, c'est moi qu'il a choisie. Il a senti que j'étais la seule à comprendre ce qui lui était arrivé, à cause de la lettre que je lui ai envoyée. "Il n'empêche que vous êtes aussi malheureuse que d'habitude." Oui, mais c'est parce que je suis émue d'être

ici au milieu de ses intimes et de le voir, lui, dans un cadre autre que celui de l'université, et surtout de voir sa femme qui est si impressionnante, si statuesque, et de n'avoir aucun moyen d'exprimer cette émotion. "Mais vous comprenez, c'est toujours la même chose : c'est parce que ce n'est pas de votre propre vie qu'il s'agit. Naturellement vous êtes incapable d'exprimer ce que vous ressentez, puisque vos sentiments concernent des personnes autres que vous-même. Nous avions constaté cela déjà il y a longtemps, à propos du cinéma. Vous vous laissiez trop prendre par les conflits entre les personnages, vous réagissiez comme si votre propre intérêt était en jeu, et à la fin vous étiez navrée de découvrir qu'ils ne s'intéressaient nullement à vous, puisqu'ils se volatilisaient dès qu'on rallumait dans la salle. Pourquoi avez-vous toujours besoin de vivre par procuration ? Souvenez-vous de *Don Giovanni* –" Oui. Mais là, je n'avais guère le choix, c'était pour ma thèse. Il fallait que j'aille voir toutes les représentations de la pièce et de l'opéra, il fallait que j'écoute les différentes versions musicales à longueur de journée, il fallait que je lise les dizaines de variantes de l'histoire ainsi que les analyses critiques, au moins les plus importantes d'entre elles ; sinon ce n'aurait pas été du travail sérieux. C'est vrai que le film m'a chamboulée quand même. Moi qui croyais tout savoir sur le personnage de don Juan, il m'était resté une question essentielle à résoudre, dont j'avais discuté à deux ou trois reprises avec Thorer, sans qu'il y apporte une réponse véritable : pourquoi *mil e tre* ? Et, dans le film, j'ai enfin compris. Evidemment, ce qu'on dit toujours c'est que s'il faut à don Juan la multiplicité, le nombre *excessif* des conquêtes amoureuses, ce n'est nullement pour en *jouir* – du début jusqu'à la fin de l'histoire il n'éprouve pas un seul instant de vrai plaisir – mais plutôt pour les *écrire*, c'est-à-dire pour allonger sa *lista*. En ce sens il ressemble aux libertins de Sade (et le "donjuanisme" est aussi dilué par rapport à don Juan que l'est le "sadisme" par rapport aux personnages sadiens), car dans les deux cas le sens des actes érotiques s'épuise dans le *récit* qu'on peut en faire. Mais le parallèle s'arrête là, car les victimes de don Juan sont par définition consentantes : elles doivent l'aimer, éperdument ; leur souffrance doit provenir exclusivement du fait qu'elles sont *mil e tre*, et jamais des sévices qu'elles auraient subis des mains de leur amant.

Mais pourquoi don Giovanni aime-t-il les femmes ? Car il les aime... *toutes* : jeunes et vieilles, belles et laides, vierges et matrones. Il les flaire comme le ferait un animal ; il dit : "Je sens la femme." "La femme", tout comme "la boisson" *(Vivan le femmine ! Viva il buon vino !)*, représente pour lui le moyen par excellence de bafouer la morale des honnêtes gens. Celle-ci n'est même pas la morale chrétienne : elle repose sur la raison, le respect d'autrui, les convenances bien sûr, mais il y a aussi beaucoup de *jeu* : infidélités, frivolités et fêtes : en un mot, tout ce que don Juan abhorre. De l'origine de son refus catégorique des valeurs de ce monde et de son adhésion inébranlable à l'Enfer, nous ne savons rien. Nous savons seulement que, d'un pas ferme et résolu, il s'avance vers sa mort.

Aucune femme d'aucune mythologie n'atteint cette grandeur-là. Aucune femme n'est aussi pénétrée de la terrible nécessité de son destin. Lorsque les femmes font preuve d'une détermination et d'une force comparables – Médée, Antigone – c'est toujours par *réaction* : parce qu'elles ont été mortellement blessées par des hommes. Les femmes ne possèdent pas d'emblée la capacité de mener une *action*, pour elle-même, jusqu'au bout. C'est ça que le film a montré avec une lucidité impitoyable. Donna Anna et donna Elvira pouvaient bien être splendides dans leur douleur ; elles étaient méprisables parce que dépourvues de volonté propre ; pas un instant elles n'avaient l'initiative. Anna devient fière et mensongère, Elvira oscille entre le désir de sauver son âme et l'espoir d'être à nouveau aimée de don Juan ; Zerlina trahit son fiancé et use de "ruses féminines" pour le récupérer lorsqu'elle constate que ses chances auprès du maître sont très minces…

C'est Zerlina qui adresse, sur un mode parodique et à Masetto impuissant, les paroles que toutes les femmes adressent à don Giovanni : "Arrache-moi les yeux, bats-moi, et je baiserai la main qui me bat." Les femmes tournoient autour de l'homme, poussent des cris, se mettent dans tous leurs états : ce sont elles qui sont en proie aux émotions bassement humaines, provoquées par un être surhumain ou inhumain. *Dire son désir* : voilà le sens de la vie de don Juan ; voilà aussi ce qui le rend supérieur aux femmes, qui sont réduites, comme partout et comme toujours, à répondre à ce désir par oui ou non.

Tout cela devait former la nouvelle trame de ma thèse et je brûlais d'impatience d'en discuter avec Bernald Thorer. Si j'avais vu le film une semaine plus tôt, j'aurais peut-être pu profiter des remarques du maître à ce sujet. Mais je l'ai vu la veille du dernier jour. Je suis arrivée en retard au séminaire. J'étais dans un état d'exaltation rare ; j'avais passé la nuit à noter les pensées que le film m'avait inspirées. Tout avait l'air de se passer normalement : Thorer était assis derrière sa table sur l'estrade, entouré comme d'habitude d'une vingtaine de magnétophones, et la salle était pleine à craquer. Il n'y avait évidemment plus une place de libre ; même les marches étaient remplies d'étudiants entassés les uns sur les autres, et une quantité considérable débordait dans le couloir.

J'ai réussi à me glisser au moins jusqu'à la porte, et je me suis adossée à l'un des montants. Il n'était pas question de sortir mon cahier pour prendre des notes ; je me suis contentée d'écouter cette voix si mélodique, si familière, qui choisissait ses paroles comme un enfant choisit des cailloux sur la plage.

Au bout d'une demi-heure environ, la voix s'est interrompue. Nous n'avions pas l'habitude de faire une "pause", et en plus l'idée que Thorer était en train de développer avait été laissée en suspens. Toutefois, il avait terminé sa phrase. Personne ne s'expliquait cet arrêt si inédit au milieu du cours. Les étudiants se sont regardés. Thorer n'avait pas quitté sa chaise, mais il l'avait repoussée comme pour s'éloigner des microphones. Quelqu'un a dit : "Oui, et après ?" Silence. Une étudiante est montée sur l'estrade pour demander si M. le professeur ne se sentait pas bien. Thorer a répondu simplement : "Si, si." Dans la salle il y avait une confusion grandissante : certains ont commencé à ranger leurs papiers, mais personne n'osait se lever et partir. Ensuite, je ne sais pas comment – on aurait dit d'un commun accord –, tout le monde s'est tu de nouveau. Un silence proprement délirant s'est installé. Cela a duré presque dix minutes : Thorer regardait ses étudiants, ses étudiants le regardaient. Il n'avait pas l'air malade mais médusé ; on aurait dit qu'il contemplait une chose totalement insolite. Enfin, un des magnétophones est arrivé au bout de la bande avec un déclic. Cela a agi comme un signal. Un à un, les propriétaires des machines sont montés sur l'estrade pour les reprendre. Les autres étudiants se sont levés, ils ont quitté la salle par petits groupes.

Dans le hall, déjà, ils avaient recouvré l'usage de la parole. Un ou deux ont même passé tout de suite leurs cassettes pour réécouter la dernière phrase, persuadés que – comme à la fin d'une séance chez le gentil réanimateur – les derniers mots prononcés seraient particulièrement lourds de signification.

Moi, je savais qu'il n'en était rien. Je savais avec certitude que Bernald Thorer s'était interrompu, définitivement, sur *n'importe quelle phrase*. Je suis rentrée chez moi et j'ai cru que ma tête allait éclater. Je ne savais pas si j'avais envie de me mettre au lit pour sangloter, ou bien de claironner la bonne nouvelle sur les toits de Paris. Je n'ai fait ni l'un ni l'autre ; je me suis préparé un petit déjeuner fastueux : œufs brouillés, toasts, miel, jus d'orange et café au lait. J'ai ouvert la radio ; on jouait précisément *Don Giovanni*. J'ai fermé la radio et je me suis mise à manger avec un appétit fabuleux ; je me suis aperçue que c'était le printemps et je me suis demandé depuis quand...

Le soir même, j'ai envoyé ma lettre à Thorer. C'était simplement une citation de Des Forêts, dont j'avais lu *le Bavard* quelques jours auparavant. "Imaginez un prestidigitateur qui, las d'abuser de la crédulité de la foule qu'il avait entretenue jusque-là dans une illusion mensongère, se propose un beau jour de substituer à son plaisir d'enchanter celui de désenchanter." Ce sont presque les mots exacts, j'avais recopié la citation dans mon cahier parce qu'elle m'avait plu. Bernald Thorer n'a jamais répondu à cette lettre, évidemment, mais je suis persuadée que c'est grâce à elle que j'ai été invitée ici ce soir.

"Vous voilà bien avancée, de savoir tout cela et d'en être en même temps dupe. La victime consentante, tout comme les maîtresses de don Juan, puisque vous persistez dans votre désir d'être trompée. Votre Jésus-Christ a beau s'être transformé en Bouddha, vous ne cessez pas pour autant de l'adorer. L'Ecriture sainte est peut-être devenue une page blanche, mais elle demeure non moins sacrée à vos yeux." Oui, mais je n'ai pas le choix. Seuls les gens qui ont eu le pouvoir peuvent décider, sublimement, de l'abdiquer. Aux autres est dévolu le rôle bien moins glorieux du renard face aux raisins hors d'atteinte. Je n'ai jamais eu le pouvoir, je n'ai jamais souhaité l'avoir ; le "renoncement" est donc pour moi un mot dépourvu de sens. Je suis faible par nature ; je ne fais qu'absorber un peu de la force des personnages autour de moi. "Voilà encore que vous vous réduisez à néant : faut-il que vous ayez peur de votre propre violence, pour vous proclamer ainsi désarmée ? Etre désarmée, c'est seulement une manière sournoise d'être désarmante : vous voudriez que votre faiblesse finisse par affaiblir les autres. C'est pour cela, au fond, que vous avez jubilé, le jour où Bernald Thorer a cessé d'enseigner." Mais non –

VARIATIO XXIV

Fumée

Ce que je donnerais pas pour une cigarette – ça y est, c'est la trente-sixième fois que j'y pense – ça va finir par me gâcher tout le concert. C'est absurde. Si seulement je pouvais en allumer une, j'y penserais plus – je consacrerais toute mon attention à Bach – mais ils ont dû faire exprès de ne pas mettre des cendriers ici – et je peux vraiment pas écraser mon mégot sur un parquet ciré – personne d'autre qui fume ? – si, il y a le Noir assis à côté de la porte – mais il peut jeter ses cendres sur le balcon. Je comprendrais s'il y avait des chanteurs ou des instruments à vent – faut pas les étouffer – mais Liliane fume elle-même, je l'ai vue tout à l'heure – donc c'est une contrainte gratuite. En bibliothèque, je comprends que ce soit interdit – s'agit pas de voir la collection de la Nationale flamber à cause d'un petit thésard négligent – encore que j'aie été dans des bibliothèques où c'était pas interdit – quel délice – c'était comme lire dans son propre fauteuil chez soi – l'idéal, quoi. Si on pouvait fumer à la Nationale, j'installerais un lit de camp dans la salle des

193

imprimés – le long de l'*Encyclopédie* de Diderot et d'Alembert – je sortirais que pour pisser. Dans l'état actuel des choses, il faut que je sorte au moins une fois par heure, c'est chiant – je m'efforce de lire cent pages avant d'aller dans la cour – parfois c'est difficile justement à cause de ce que je suis en train de lire. Tu sais de quoi je parle, hein, Bernald ? Giordano Bruno, par exemple, j'allumerais bien un clope à toutes les pages. Quand je le lis à la maison, ça me met dans tous mes états – je prends des notes en fumant des cigarettes à la chaîne – une fois j'ai failli fumer mon stylo et écrire avec le clope, tellement j'étais emballé. J'ai raconté ça à Bernald – on était allé prendre un verre après la fermeture – il a pas compris à l'époque. Maintenant, oui. Il aurait peut-être mieux fait de se mettre à fumer.

Quelle scène ! – j'aurais jamais cru ça de lui. Ça faisait peut-être quinze ans que je le voyais à la BN – on était pas des copains, mais on bavardait de temps en temps – on s'était vu vieillir au milieu de nos piles de bouquins – lui venait pas aussi souvent que moi, plutôt par périodes – mais il prenait toujours une place près de la porte, comme moi – je sais pas pourquoi, puisqu'il sortait pas tous les quarts d'heure pour fumer. C'était un habitué bien plus distingué que moi – les thésards se le montraient en murmurant son nom. – C'est Thorer. – Tu en es sûr ? – Bien sûr que j'en suis sûr ! – Mais il a l'air si jeune, je croyais qu'il avait quatre-vingts berges ! – et cetera. Moi ça me dérangerait si on me repérait à la BN – j'ai besoin de travailler dans la neutralité, comme qui dirait incognito. Heureusement, les scientifiques sont jamais aussi vedettes que les idéologues – on peut connaître leur nom et pas leur tête – ce qui m'arrange. Bernald, rien à faire – s'il voulait bosser il fallait qu'il fasse abstraction des remous provoqués par sa présence – ce à quoi il parvenait apparemment très bien, faut dire. Il se construisait une sorte de forteresse avec ses bouquins – il mettait la tête là dedans et en ressortait pas avant huit heures du soir. Je l'avais taquiné là-dessus – je lui disais qu'il allait devenir comme ces vieux pépés qu'on voyait – penchés à quatre-vingt-dix degrés depuis la taille à force d'avoir passé soixante ans le nez dans les bouquins – ils pouvaient plus se relever – comme s'ils voulaient être tout prêts avec leur révérence, le jour de l'entrée à l'Académie. Bernald avait ri – il aimait bien mon sens de l'humour. On bavardait assez souvent – il me posait des questions sur mon travail – pas juste pour faire de la conversation – parfois il trouvait des parallèles entre sa recherche et la mienne – on discutait jamais très longtemps – on échangeait même pas nos coordonnées – mais enfin c'était plutôt sympathique. Je l'aimais bien, quoi. Ce en quoi j'avais pas de mérite – tout le monde l'aimait bien. Il disait bonjour aux employés – même la bonne femme du vestiaire – il échangeait des potins avec le conservateur – et il me semblait qu'on lui apportait ses bouquins plus vite que ceux des autres, mais peut-être que je me trompe. En tout cas on l'aimait bien – c'est pour ça que ça s'est mal passé, le jour où il a déconné.

Ç'aurait été M. Tartempion, on l'aurait mis à la porte en moins de deux. Mais Bernald Thorer, ça se laisse pas traiter comme un clochard.

Je m'en suis aperçu presque tout de suite – ce jour-là j'étais assis pour ainsi dire à côté de lui, trois ou quatre mètres plus près de la porte. Vers dix heures du matin – juste au moment où tout le monde est bien installé, les remous de la première heure s'étant calmés – j'entends un ricanement. Je lève la tête – c'est Bernald qui rigole. Je trouve ça plutôt mal-poli – puis plus rien, c'est le silence, je recommence à lire. Peut-être dix minutes plus tard, il rit encore – cette fois c'est un rire franc – pour ne pas dire à gorge déployée – un vrai rire, quoi. Tout le monde tourne la tête pour voir ce qui se passe – heureuse-ment, ça s'arrête aussitôt. Les employés ont l'air un peu consternés – je les vois qui discutent à voix basse – ils doivent se dire – c'était Bernald Thorer ? – Oui, c'était lui. – C'est impossible, vous devez vous tromper. Moi je me sens pas très à l'aise – d'accord, il lit quelque chose de drôle – je comprends pas quand même, pourquoi il rit tout haut – ça lui res-semble pas, c'est pas normal. Il a plus ri de toute la matinée – nous prenons un sandwich ensemble à midi, je lui demande ce qu'il était en train de lire tout à l'heure – il me répond Hérodote. D'abord je suis interloqué – j'avais jamais pensé à Hérodote comme à quelqu'un de spécialement folichon – mais Ber-nald me raconte une ou deux histoires, c'est vrai qu'elles sont désopilantes – surtout qu'il raconte très bien – à la fin on a les larmes aux yeux à force de

196

rire. Mais enfin, dans un café, c'est pas pareil qu'à la BN. Quand même je me suis senti rassuré – Bernald me paraissait pas fou pour deux sous – j'ai même payé son sandwich et son ballon, tellement il m'avait mis de bonne humeur.

L'après-midi je me sens toujours un peu assoupi au début – je feuillette quelques revues scientifiques pour me donner le temps de digérer – ce jour-là il y avait plus de monde que d'habitude et il faisait plutôt chaud. Vers trois heures je me remets à bosser – j'avais pour ainsi dire oublié l'incident du matin – quand j'entends une sorte de sanglot. C'est pas vrai, je me dis – il va se mettre à pleurnicher maintenant ? Toujours à cause d'Hérodote ? Je suis devenu un peu nerveux – ça me disait rien qui vaille – je suis sorti fumer une cigarette. Quand je suis revenu j'ai entendu Bernald de la porte – il pleurait comme un bébé – j'avais honte pour lui. Il y avait une petite foule autour de sa chaise – des lecteurs, des employés – totalement désemparés, les pauvres. Ils savaient pas quoi faire. Bernald poussait des sanglots épouvantables – je me suis approché – il avait la tête sur les bras, et les épaules qui s'agitaient – c'était comme s'il venait de perdre son meilleur ami. On lui disait – monsieur Thorer, est-ce qu'on peut faire quelque chose pour vous ? – Monsieur Thorer, vous ne voulez pas sortir un moment ? – S'il vous plaît, monsieur Thorer.

Qu'est-ce qu'il avait pu lire pour se mettre dans cet état, je ne sais pas – des atrocités qui se sont passées il y a vingt-cinq siècles, sans doute – je trouvais qu'il exagérait. Je suis allé le prendre par le bras – il a pas résisté – je l'ai emmené dehors – la moitié de la salle avait quitté sa chaise – des jeunes filles à lunettes nous ont suivis dans la cour – je leur ai fait signe de s'éloigner. Bernald a cessé de pleurer une fois dehors – il avait les yeux tout rouges, je savais pas quoi lui dire. – Tu veux que j'aille chercher ta serviette ? Il a fait oui de la tête – j'ai apporté ses affaires, il est parti sans me dire au revoir – en marchant très lentement. Il avait l'air d'un vieux. Ça m'a tellement secoué, j'étais incapable de bosser ce jour-là, je suis parti.

Bernald a plus mis les pieds à la BN. J'osais pas l'appeler – puisqu'on avait jamais échangé nos numéros – mais j'entendais les bruits qui couraient à son sujet et dans ma tête ça collait pas. Au bout de quelques mois on a commencé à rééditer ses vieux bouquins – on parlait de lui dans les journaux comme s'il venait de mourir – je trouvais ça scandaleux, mais il y avait rien à faire.

Quand même, il a pas l'air mort du tout – il a plutôt meilleure mine qu'avant. S'il s'est trouvé une épouse charmante et cultivée, tant mieux pour lui. Vaut mieux que ça soit elle qui le fasse rigoler et pleurnicher, plutôt qu'Hérodote. Moi-même je laisserais tomber la recherche dans ces conditions, si je pouvais me permettre de me reposer sur mes lauriers – qui le ferait pas ? A part papa – avec sa philosophie – son amour de la science, comme il disait. C'est vrai qu'il était amoureux d'elle – il emmenait dans son lit des tomes gros comme ça –

maman devait les enlever le matin quand elle faisait le lit – ça c'est un philosophe. Moi j'ai pas un seul bouquin dans ma chambre – il y a rien, à part le lit et le cendrier. Je trouvais ça dégoûtant comme il lisait tout le temps, papa – au lit, à table, aux chiottes pendant des heures – quand je voulais lui demander quelque chose il y avait toujours un bouquin entre sa gueule et moi – c'était pas possible. Et à quoi ça a servi ? Maintenant mes livres se vendent bien – ça le fait enrager, que la physique puisse être aussi courue que la métaphysique – et je m'en contrefous. Il me lance des vannes quand je vais le voir – c'est un tout petit bonhomme maintenant, lui qui me paraissait si colossal quand j'étais môme – il me dit que je ferais mieux d'employer mon génie à trouver un remède pour le cancer – avec les soixante clopes par jour que je m'envoie. Il a raison – c'est trop – je vivrai pas aussi vieux que lui – c'est peut-être tant mieux, ça fait pitié de le voir – à quoi son amour de la science l'a avancé, à pisser dans un sac attaché à son bas-ventre. Maintenant que maman est pas là, il y a plus personne pour enlever ses bouquins du lit – on va le retrouver étouffé sous les œuvres complètes d'Aristote, un de ces beaux jours. Et puis merde – ce que je donnerais pas pour une cigarette – ça va durer combien de temps encore, cette histoire ?

VARIATIO XXV

Coupée
C'est la variation en mineur la plus mélancolique
de toutes, sa lenteur ferait presque perdre le fil mélodique qui s'y développe, on suivrait seulement
les méandres de l'harmonie à travers des bosquets
ombrageux : Léthé, fleuve de l'oubli ; on fermerait
les paupières et on oublierait tout le reste. Léthé,
Liliane, je préférerais oublier que tu es là, ne pas
avoir à regarder ton corps et sa mise en scène, ne
rien savoir des pensées des autres pendant qu'ils te
regardent. Etre témoin de la production physique
de la musique a toujours été pour moi chose incon-
grue ; je n'aime pas être près des violonistes qui
dégouttent de sueur, des saxophonistes qui se gon-
flent les joues et deviennent tout rouges, des trom-
pettistes aux yeux exorbités, je n'aime pas voir la
salive qui sort du hautbois par en bas, je voudrais
oublier l'effort des corps, accouplés aux instruments
pour mon plaisir. Toi Liliane, tu es comme les flûtes
de pierre dans le désert : le vent souffle à travers
elles, personne ne les manipule. Le génie des hommes
passe à travers toi et tu demeures impassible ;

personne n'a prise sur toi, de cela au moins je suis contente. J'ai du mal maintenant, de manière générale – je te l'ai dit au téléphone – à aller dans des endroits publics. De plus en plus j'ai tendance à me claquemurer chez moi. Notre culture me semble tellement maladive que je me dis que ce doit être moi qui suis malade. Si j'assiste à un concert symphonique, je vois le chef d'orchestre qui est un homme, les musiciens qui sont des hommes à quatre-vingts pour cent, je constate que les compositeurs sont tous des hommes ; à l'entracte j'entends les hommes parler entre eux ; ils disent : "Je vous présente mon épouse" et ils enchaînent à qui mieux mieux avec leurs grosses voix, pendant que les épouses restent collées à leur côté comme des parapluies. Cela me déprime au point que je n'entends plus les symphonies. J'essaie de m'égayer avec le cinéma, je vais voir un film des Marx Brothers, je sors de la salle en pleurant : les quatre cents coups de quatre garçons, l'inimitable complicité de la camaraderie virile, les blagues misogynes qui marchent encore, l'assistance qui s'esclaffe y compris les femmes : je crois qu'il n'y a rien de plus triste au monde qu'une femme qui rit aux dépens d'une autre femme.

Les gros rires, je m'en suis toujours méfiée, comme je me suis méfiée de tout enthousiasme de masse ; les manifestations militantes du 1er Mai me font penser à des défilés militaires, je ne vois pas la différence, ce sont des hommes qui marchent au pas, qui scandent les slogans qu'on leur dit de scander, qui chantent à tue-tête pour la énième fois que c'est la lutte finale. Ça me rappelle aussi les fidèles catholiques de mon enfance, qui chantaient à tue-tête pour la énième fois que le Sauveur était né, à ceci près que les cantiques sont bien plus beaux que *l'Internationale.* C'est la même illusion : on est bien au chaud, tous ensemble derrière notre chef, politicien ou prêtre, qui nous dit ce qu'il faut faire, comment penser, et qui est l'ennemi principal. Sais-tu Liliane que les musulmans orthodoxes sont contre la musique, même militaire, sous prétexte qu'elle est licencieuse et pourrait inciter à la débauche ? C'est risible, je le sais bien, mais avant qu'on ne s'aperçoive de la ressemblance entre les marches militaires et ce que la sexualité des hommes contient de violent, on risque d'assister à quelques siècles encore de massacres et de viols. Pour moi les deux sont liés de façon tellement inextricable que le seul fait d'y penser me donne la chair de poule. Ecouter la musique contemporaine – par là je veux dire la musique des jeunes d'aujourd'hui – me fait exactement le même effet que d'écouter *Deutschland über alles.* Je ne vois pas l'humour, d'ailleurs, quand les punks se mettent des croix gammées. Par dérision, dit-on ; seulement ils portent l'habit fasciste des pieds à la tête et à l'intérieur de la tête aussi. Une fois j'ai vu un couple punk, la fille avait une chaîne autour du cou, son petit ami la tenait littéralement en laisse. Ils trouvaient sans doute leur numéro très provocateur, mais ça m'a donné la nausée. Comme ça me donne la nausée d'écouter leur musique avec son rythme phallique – oui, Liliane, tu vas dire que je fantasme, et que le fait de choisir un nom comme "Sex Pistols" relève encore de la dérision, et moi je te dis que c'est grave et d'autant plus grave que cette équivalence entre l'arme et le pénis est imprimée comme une évidence jusque dans nos propres têtes.

J'avais un ami guitariste une fois – oui, cela t'étonne, j'avais des amis hommes à une époque, c'était pendant l'utopie unisexe des années soixante, bien avant de te connaître, et je supportais encore de parler avec des hommes –, c'était même un musicien excellent, Michel. Il jouait de la guitare électrique avec un groupe qui avait connu un succès éphémère et dont il était devenu un peu la star. Il fumait toujours du haschich avant le début d'un spectacle, et sur scène il planait – comme une étoile filante, littéralement : au milieu d'un morceau il partait dans un solo fantastique, toute la salle retenait son souffle et Michel les emmenait planer avec lui sur son tapis volant. Une fois je lui ai dit que je lui enviais sa capacité de se laisser aller si complètement, de s'exprimer à travers la musique avec tant de liberté. Tu sais ce qu'il m'a répondu ? Quand il avait fumé et qu'il jouait sous un spot devant une assistance nombreuse, il se sentait omnipotent, comme un dieu : il se mélangeait à la lumière, et sa guitare devenait un sexe éblouissant, et quand il se cabrait pour envoyer les sons, c'était comme s'il arrosait toute la salle de son sperme : la musique était un jet de foutre inépuisable qui jaillissait de son corps à travers l'instrument ; en ces moments il était littéralement hors de lui.

Je me suis dit : Si c'est ça pour un homme, qu'est-ce que c'est pour une femme ? J'ai posé la question un peu partout autour de moi : qu'est-ce que c'est une femme qui fait de la musique ? Les gens pensaient que j'étais devenue bête. Une femme qui fait de la musique, c'est comme un homme qui fait de la musique, sauf que c'est une femme. Ah ! bon. Toi Liliane ce soir, tu joues une musique composée par un homme, à l'intention d'une Eglise ou d'une monarchie structurée de part en part par des hommes, et tu la joues sur un instrument fabriqué par un homme : mais le fait que tu sois femme est-il totalement indifférent ?

Tu n'as pas voulu croire cette histoire que je t'ai racontée ; elle est pourtant vraie : une exposition de sculpture à Paris a dû être annulée quand il s'est avéré que l'une des œuvres, qui devait représenter un buste de femme, avait été fabriquée avec un vrai buste de femme. A partir de là, une femme qui fait de la sculpture, qu'est-ce que c'est ?

Tu vois, Liliane, je suis indécrottable. Une fois qu'on a commencé à lire la réalité de cette manière, c'est difficile de s'arrêter. Mais c'est pire que ça ; tu ne t'imagines pas l'étendue de mon obsession. Je te vois et ça m'attriste parce que tu es encore dans la séduction jusqu'au cou – littéralement, jusqu'au collier de perles que tu portes autour du cou ; ça m'attriste parce que je me dis qu'ensemble on aurait peut-être été assez fortes pour inventer quelque chose de neuf. Mais tu as besoin d'un homme auprès de toi, besoin de son approbation et de son amour (je suis sûre qu'il t'aime, d'ailleurs, là n'est pas la question), et tu as revêtu tous les oripeaux de la décadence marginale et auto-ironique. Quant à moi, ce n'est guère plus brillant : j'aimerais bien avoir besoin de quelque chose, mais je me sens défaite.

Au lieu de me faire vociférer, comme auparavant, le martyre millénaire des femmes me laisse de plus en plus sans voix. J'entends autour de moi s'élever en chœur les voix qui clament qu'au fond les femmes ont été plus heureuses que les hommes. Qu'elles ont travaillé moins dur et qu'elles n'ont pas fait de service militaire. Séparer, séparer : surtout ne pas penser *en même temps* au sexe et à la guerre. Sinon pour dire que de nos jours enfin les femmes peuvent être soldats. Sinon pour créer un groupe punk qui s'appelle les Sex Pistols. Surtout ne pas imaginer que l'activité guerrière des hommes a quelque chose à voir avec leur sexe. Pourtant... partout, Liliane, depuis toujours – je sais que tu détestes les phrases qui commencent avec ces mots – partout et depuis toujours – je peux insister puisque tu ne m'entends pas –, il a fallu inscrire, d'une façon ou d'une autre, la faiblesse dans le corps des femmes. Dans les départements de "Women's studies" des universités américaines, on a certainement déjà écrit des thèses savantes sur les pieds bandés des Chinoises ou les corsets des Françaises. J'ai trouvé un énième exemple l'autre jour – je ne sais pas pourquoi je continue de lire ; mes lectures ne m'incitent qu'à me recroqueviller encore plus –, il s'agissait d'une population primitive quelque part dans les îles du Pacifique. Au moment des rites funéraires, un sacrifice est exigé de chaque membre de la famille du défunt, pour accompagner son âme dans l'au-delà, et ces sacrifices sont différenciés selon le sexe. (Le rite dans son ensemble a été conçu par des hommes et ne vaut que pour des cadavres mâles puisque les femmes ne deviennent jamais des ancêtres, mais ce sont là des "évidences" et non pas le sujet de l'article.) Les petits garçons donnent : un poulet ou un cochon. Les petites filles donnent : un doigt. A chaque fois que meurt un oncle, un frère ou un cousin, on coupe un doigt aux filles de leur parenté. Il reste, à toutes les femmes adultes de cette population, quatre ou cinq doigts : on leur laisse les pouces, ainsi que deux doigts de la main droite, afin qu'elles puissent continuer à faire de la vannerie, travail féminin par excellence comme tu le sais.

J'ai lu cela, j'ai eu soudain devant les yeux la vision de tes mains, ces mains aux doigts si longs et fins, que j'ai souvent embrassées. Je me suis mise à crier ton nom tout haut, et – le croirais-tu, Liliane ? – je suis allée me cacher dans le placard comme une petite fille. Je tremblais de tout mon corps, je ne voulais plus jamais en sortir.

J'ai tellement peur de tout maintenant. J'ai peur de devenir une vieille fille qui n'ose pas descendre dans la rue, qui reste chez elle avec ses chats et ses boîtes de conserve. J'ai peur de lire, j'ai peur d'écouter les gens parler, j'ai peur de leur cynisme et de leur mépris.

Je vois tes mains sur le clavier et, au lieu de m'en réjouir, je pense aux mains mutilées de ces petites filles. Ce n'est pas normal ; je sais que dans le jargon psy c'est ce qui s'appelle une idée fixe. Aide-moi à l'oublier, Liliane, il n'y a que toi qui aies jamais su apaiser mes craintes. Quand on marchait toutes les deux dans la rue, enlacées, légères et amoureuses, tu t'en souviens ? On n'avait peur de rien au monde. Quand on se réveillait ensemble le matin, un rire suffisait pour disperser les mauvais rêves. Comment se fait-il que je me retrouve maintenant si seule ? si seule à ne rien pouvoir oublier ?

VARIATIO XXVI

Faux

Splendide, splendide. Et hop ! la main gauche saute par-dessus ! Elle tombe sur juste le bon accord, pendant que la main droite chatouille les touches d'en bas. Bravo ! A la fin je vais me lever pour le dire : "Bravo !" Elle nous en aura fait voir ce soir, des vertes et des pas mûres, si j'ose dire. Elle nous aura chatouillé toutes les cordes de l'âme les unes après les autres ! On aura vécu quelque chose ensemble : même si on se connaît ni d'Eve ni d'Adam, ça sera comme si on se connaissait. La musique aura servi à rompre la glace, après il restera plus qu'à trinquer. "A la santé de l'artiste !" Quelle merveille, quand même, cette langue universelle. Peu importe si on vient de milieux différents, peu importe si on a des idées politiques différentes, la musique ça nous rapproche tout de suite – parce que les émotions, c'est l'humanité tout entière. C'est vrai. "Vive Jean-Sébastien."

Dans la voiture, cette *Partita* de Bach pour violon seul jouée par Oïstrakh, j'ai pleuré pleuré pleuré à l'écouter ; c'était la perfection incarnée, toutes les aspirations de l'humanité, tous les élans les plus nobles de l'âme, puis je me suis dit : "Pour *qui* pleures-tu ? Pourquoi ? Maintenant que personne te voit et que t'as plus à faire semblant ?" Mais ça va pas ? Pourquoi ce serait du faire semblant ? Je pleure parce que c'est beau ! "Mais qui t'a dit que c'était beau ? N'est-ce pas parce que tu connais les noms de Bach et d'Oïstrakh que tu penses que ça doit être beau ?" Qu'est-ce que tu racontes encore ? C'est beau, un point c'est tout et j'ai le droit de pleurer si j'en ai envie. Quand même. Ça me rappelle quand j'avais dix-sept ans, quand j'ai commencé à boire avec les copains et les copines ; mes parents me l'interdisaient et je me faisais un point d'honneur de bien tenir l'alcool. Je descendais une demi-douzaine de bières ou quatre scotchs dans la soirée, ça me déliait la langue, j'étais au centre de l'attention, je faisais rigoler tout le monde... Puis un jour quand mes parents n'étaient pas à la maison, je me suis versé un verre de leur scotch et je l'ai descendu d'un coup sec : "Mais pourquoi, diable, bois-tu ?" Je bois parce que j'aime ça ! "Qu'est-ce qui te fait croire que tu aimes ça ? Il y a personne à impressionner ici, c'est pas la peine de boire." Mais je bois parce que ça a bon goût, bon Dieu ! "Il y a deux ans, tu trouvais que ça avait un goût détestable." Et cetera. "Peut-être tu trouves ça bon justement parce que c'est interdit ? Et de surcroît, cette fois-ci, volé ?" Bah ! 'Z'appellent ça la voix de la conscience. Moi j'appelle ça de l'emmerdement. Ça m'emmerde. Me laisse jamais tranquille. "Pourquoi vas-tu crier bravo tout à l'heure ? Pourquoi lever ton verre à la santé de l'artiste ?" Ta gueule.

Plus j'essaie de prouver que je peux vouloir telle ou telle chose, plus je ressens le besoin de boire quand il y a personne, et plus j'entends les accusations de mensonge. Ça se laisse pas noyer, ça ne fait que criailler de plus en plus fort. "Au secours !" Crève !

Le pire c'est avec les autres. Une copine me raconte les problèmes qu'elle a avec son amoureux, je l'écoute, je hoche la tête, je lui presse la main, elle me regarde avec reconnaissance, et puis j'entends : "Quelle insincérité ! T'as même pas entendu la moitié de ce qu'elle t'a dit. T'as pensé au fait qu'il va falloir descendre acheter du scotch avant la fermeture de l'épicerie." J'essaie de parler plus fort que ce qui me tracasse dans la tête. "Ma pauvre amie, dis-moi comment je peux t'aider, et n'hésite surtout pas à m'appeler." "Quelle fourberie ! Tu détestes les interruptions du téléphone quand tu travailles. Ou, plutôt, quand tu fais semblant de travailler." Comment ça, je fais semblant ? Je fais une vraie traduction d'un vrai bouquin, ne t'en déplaise. Pour une vraie maison d'édition en plus, et avec un vrai contrat. Qu'est-ce qu'il y a de faire semblant là-dedans ? Ça explose de rire à l'intérieur de ma tête. J'envoie un autre scotch ajouter à la pagaille.

Même quand j'achète une bouteille, je pense toujours qu'on va me demander si j'ai la permission de mes parents. A chaque fois que je bois dans un cocktail, comme ça va se passer tout à l'heure, je m'attends à sentir une main s'abattre sur mon épaule : "Qu'est-ce que tu fais ?" Mais ce n'est que du jus d'orange ! D'ailleurs j'ai le droit maintenant ! J'ai trente-cinq ans ! Il y a peut-être une goutte de scotch là-dedans, oui, d'accord, et après ? Parfois c'est les gens qui me font sursauter : "Comment tu as trouvé le concert ?" J'ai ma réponse toute prête : C'était proprement divin, et cetera. Ils vont me dire, par exemple : "Pour moi, c'était complètement gâché par l'acoustique. Quelle idée de donner un concert dans une chambre avec un plafond aussi haut ! Et de laisser les portes du balcon ouvertes pour qu'on entende les klaxons des voitures et l'aboiement des chiens !" En effet, en effet ; il aurait fallu les fermer. Puis j'entends derrière moi des gens qui se disent à voix basse : "C'est pas quelqu'un de très fin, Claude." Est-ce qu'ils auraient vraiment dit ça ? Sûrement pas. Ça se dit pas, entre gens bien élevés. Puis Mme Kulainn dirait : "Qui a pris le verre que j'ai posé là à l'instant ?" C'est moi, c'est moi, pardon, je pensais à autre chose. Même si c'est pas moi. "Mais non, Claude, tu as du scotch dans ton verre, moi c'était du bourbon." Ah oui, excusez-moi, je m'en suis servi, oui, j'ai pris du scotch, merci beaucoup. "Mais ça ne fait rien, Claude, sers-toi autant que tu veux." Autant que je veux... "Combien voudras-tu ce soir, une demi-bouteille ? Une bouteille ? Deux ?"

Ou bien je dirais par exemple : la musique, quelle merveille quand même ! La langue universelle... Et quelqu'un me sauterait dessus : "Comme d'habitude,

Claude, tu ne prends jamais ton pied que pour le mettre dans le plat. Justement, je dirige un numéro de revue en ce moment sur la langue universelle, et je t'assure que la musique représente tout sauf cela. En effet, que comprenons-nous à la musique de Tombouctou ? Et à celle du Tibet ? Pourquoi penses-tu que les aborigènes de la Nouvelle-Zélande comprendraient mieux nos *Variations Goldberg* ?" Evidemment, évidemment. C'est pas ça que je voulais dire. "Pourquoi tu l'as dit, alors ? Pourquoi tu dis n'importe quoi ?"

J'entendrais : "Il faut être tolérant, Claude est complètement ivre ce soir." Comment ça, je suis ivre ? Comment ça, il faut être tolérant ? Faut pas me traiter comme un bébé ; j'ai trente-cinq ans maintenant. "Trente-six, Claude." Pas encore ! "Allez, allez, t'as trente-six ans, c'est pas une raison pour te soûler la gueule." Parfois je mens pour rien du tout. "Claude as-tu goûté ces noix de cajou ?" Non. Alors que j'en ai déjà bouffé cinq poignées. "Prends-en, prends-en, je t'en prie." Merci beaucoup, ça a l'air délicieux. Ou on me dit : "Est-ce que tu as vu le dernier film de Fellini ?" Oui. Ça sort avant que j'aie le temps de réfléchir. "Qu'est-ce que tu as pensé de la scène où…" Très intéressant, très intéressant. Pourquoi je me fous dans des micmacs pareils ? "Tu vois, chéri. Claude dit que cette scène est très intéressante. Nous sommes d'accord." Le mari qui débarque : "C'est pas vrai, Claude, je ne peux pas croire ça de toi. Qu'est-ce que tu as pu trouver d'intéressant là-dedans ?"

Peut-être que je pourrais me sauver avant la fin du concert.

"Pourquoi tu as disparu comme ça, Claude ? Tu nous as fait de la peine." Ma mère est malade. "Mais je l'ai eue au téléphone à midi, elle m'a dit qu'elle se portait à merveille." Oui, mais elle a eu une indigestion en fin d'après-midi. "Pourquoi tu as raconté à Mme Kulainn que j'avais eu une indigestion ?" J'ai eu une vision pendant le concert, je te voyais malade au lit. "Il ne faut pas prendre tes désirs pour des réalités, Claude." Oui, maman.

"Claude ! C'est toi qui as fouillé dans mes tiroirs ? Toutes les lettres et les photos sont dérangées ! Mais qu'est-ce que tu cherches, nom de Dieu ?" Je cherchais du papier. "Tu sais très bien que le papier n'est pas dans ma chambre ! Si tu veux du papier, tu n'as qu'à me le demander !" Oui, maman.

"Claude ! C'est toi qui as mangé le chocolat que j'ai acheté pour ton gâteau d'anniversaire ?"... "Tant pis, tu n'auras pas de gâteau."

"Claude ! Combien d'heures tu as passées devant la télévision aujourd'hui ?" Seulement deux. "C'est pas vrai, papa, ça fait au moins quatre heures, j'ai compté ! – Ta sœur dit quatre heures, Claude. Quand est-ce que tu vas apprendre à dire la vérité ?"

"Claude ! C'est toi qui as déchiré le livre de ta petite sœur ? Pas de dîner pour toi ce soir."

Chaque fois que je vais dans un restaurant : "Qui t'a donné la permission ?" J'ai pas besoin de permission maintenant, je gagne de l'argent, j'ai trente-six ans, je peux faire ce que je veux.

Chaque fois que je traverse une frontière : "Qu'est-ce que tu vas leur raconter sur ta nationalité ? Sur ton emploi ? Sur la durée de ton séjour ? Sur le contenu de ta valise ?" Comment ça, ce que je vais leur raconter ? La vérité, évidemment. Je suis pas coupable ! Mes papiers sont en règle, j'ai rien fait. Quand le douanier me fouille, quand il ouvre mes valises, ça me plaît beaucoup. Plus il fouille, plus ça me plaît. S'il trouve rien, ça va prouver que je suis pas coupable. Il regarde les noms dans mon carnet d'adresses, il palpe mes sous-vêtements, il compare longuement mon visage avec la photo dans mon passeport... J'ai envie de lui dire : Continuez, continuez. Allez-y ! Et quand il me laisse enfin passer, c'est fantastique comme je me sens bien. Tu vois ? Je te l'ai bien dit, je suis pas coupable. C'est prouvé. Il a rien trouvé. "Pour cette fois-ci, ça va, t'as eu de la chance. Attends voir ce qui va se passer au retour." Mais pour l'instant, tra-la-la, tra-la-la, pour l'instant je suis libre. J'ai rien, nya-nya-nya, j'ai rien sur la conscience. Je me sens tout sautillant, comme les mains de l'artiste, qui bondissent – hop là ! – et qui retombent. Fantastique, quand même, comme elle arrive à faire ça, et si vite ! Des mains qui volent et qui plongent comme des oiseaux de proie. Vous trouvez pas ? Ou est-ce que c'est un lieu commun aussi ? Enfin, ce qui est sûr c'est que c'est une sacrée nature, Mme Kulainn. Ou bien c'est Bach.

VARIATIO XXVII

Mesure

Je sais plus je sais plus je sais plus, s'il y avait 30 ou 31, j'ai pourtant bien regardé hier sur la partition de maman, je me suis dit c'est comme les jours d'un mois, mais est-ce que c'était un mois de 30 jours ou un mois de 31 ? S'il y avait 31 variations ça ferait 33 morceaux en tout, avec la répétition de l'aria, c'est pas possible ça parce que je me serais souvenue, 33 c'est un de mes chiffres préférés, il y a 2 fois le chiffre 3 et en plus c'est 3 fois 11, 11 c'est aussi bien parce que c'est un chiffre premier ; les chiffres bien sont : 1, 3, 7, 11, 13, 17, 19, moi, j'ai 18 ans cette année et c'est pour ça que je vais mal, c'est pour ça que je suis malade comme ils disent, mais dès que mon 19e anniversaire viendra je vais guérir, ils vont voir, en plus ça tombe un dimanche cette année et c'est aussi bon signe, c'est le premier jour de la semaine et on peut faire un nouveau début, il y a des gens qui prétendent que c'est lundi le premier jour de la semaine mais c'est faux, ce sera le dimanche 1er décembre, premier jour de ma 19e année, enfin de ma 20e année mais premier jour de mes 19 ans, 20 ans c'est terrible je veux pas y penser, je sais pas comment une fille peut supporter d'arriver à 20 ans, on doit avoir honte, on commence à compter à rebours comme dit maman, elle croit qu'elle est drôle. Mais combien y a-t-il de variations ? Je sais que c'était comme un mois mais même les mois sont pas corrects, on doit les corriger, tous les 4 ans ajouter 1 jour au mois de février, tous les 64 ans ne pas l'ajouter, ainsi de suite, c'est parce que la lune et le soleil n'ont rien à voir ensemble, on essaie de les coordonner, on dit la lune c'est le mois et le soleil c'est l'année donc il y aura 12 lunes dans 1 soleil, cet horrible chiffre 12 qui se laisse diviser par n'importe quoi, 2, 3, 4, 6, mais en fait ça colle pas du tout, la lune et le soleil ils peuvent pas se voir. Alors on essaie de dire que les femmes et la lune, ça aussi ça va ensemble, c'est encore mieux, les femmes ont un cycle de 28 jours, d'accord, c'est pas exactement 1 mois mais on l'appelle quand même le cycle menstruel, c'est le même mot que mensuel, et on prétend que c'est lié aux cycles de la lune et tout le monde fait comme si c'était très précis et scientifique, réglé comme du papier à musique, alors qu'il y a rien de plus flou et de plus contingent. C'est pour ça sûrement que mes règles se sont arrêtées, pour leur montrer que j'étais pas simplement comme un raz de marée qui se laisse tirer à droite et à gauche par les forces de la nature, que je pouvais contrôler mon propre corps, merci beaucoup, et décider si je voulais saigner oui ou non.

Les médecins disent que c'est parce que je mange pas assez, qu'il faut maintenir un certain poids minimal ou bien les règles viennent plus, c'est faux, je mange très bien, je mange exactement ce que je veux, tout le monde essaie de me forcer à manger plus, tu veux pas des spaghettis, chérie ? tu adorais ça autrefois ! Ils me font horreur tes spaghettis, je peux plus supporter toutes ces nourritures blanches et fadasses, le riz, la purée, les pâtes, ça me donne presque le vertige, j'ai l'impression que ça va m'engouffrer moi, au lieu de l'inverse. Je te l'ai dit 1 000 fois, maman, je peux m'occuper moi-même de ce que je mange, t'as pas à faire des efforts culinaires à mon intention, je t'assure qu'avec une demi-pomme et un bout de gruyère j'ai pas faim, il faut me laisser décider pour moi-même maintenant. Je prendrais bien *un peu* de salade – et puis elle me flanque un tas de salade sur l'assiette et je me fâche, j'ai dit un peu ! je veux 2 feuilles ! Mais ma chérie ça fait pas grossir, la salade ! Je suis sûre qu'elle avait mis beaucoup d'huile dans la vinaigrette exprès, et peut-être même quelques croûtons ou lardons cachés en dessous, alors j'ai rien touché. C'est pas une question de grossir, c'est qu'il faut que j'arrive à compter ce que je mange, je peux quand même pas compter tous les grains de riz, c'est pas possible. Elle est toujours après moi avec son "ma chérie". Papa c'est pas pareil, il dit : on la laisse à table jusqu'à ce que son assiette soit vide, je reste seule jusqu'à 10 heures du soir à contempler la montagne de purée froide et gluante, je pense à rien, j'attends qu'ils me disent de monter me coucher. Maman vient m'embrasser au lit, elle me dit de pas en vouloir à papa, que c'est parce qu'il pense à ma santé. Je dis arrêtez de me traiter comme une petite fille, lui ou toi c'est pareil, vous voulez prendre toutes mes décisions à ma place. Je vous dis que j'ai envie de prendre les leçons de chant, vous me dites fais plutôt ceci, fais plutôt cela, on sait ce qui vaut mieux, nous on a plus d'expérience que toi, j'en ai marre. J'ai surtout pas envie de profiter de votre expérience pour devenir bornée entre vous. Laissez-moi tranquille. Quand je suis enfin seule et que je peux pas m'endormir je pense aux limites, c'est mon sujet préféré, je me demande où passe la frontière entre le sommeil et la veille, entre parler et chanter, entre la jeunesse et la vieillesse, entre maigre et gros, je pense au paradoxe que le prof de philo nous a raconté, comment c'est impossible de traverser une pièce parce qu'on traverse d'abord la moitié de la distance, ensuite la moitié de la moitié et ainsi de suite, on peut jamais arriver à la porte théoriquement, ça me plaît beaucoup. Hier soir j'ai pensé aux bébés, à quel moment ça devient un être humain et si on fait un avortement tardif au même âge où ç'aurait pu être un accouchement préma-turé, est-ce que c'est un meurtre, et à quel moment précis l'enfant est né, est-ce que c'est quand il sort du vagin juste la tête ou tout le corps ou quand on coupe le cordon ombilical, et ensuite dans la nuit j'ai fait un rêve où il y avait une lutte entre deux gazelles mâle et femelle, c'est parce que papa m'avait dit que je ressemblais à une gazelle, et c'est la femelle qui est morte, elle baignait dans son sang et son lait, mais le mâle restait vivant et il fallait que moi je le nourrisse, alors je l'ai nourri en lui versant des raisins secs, des noix, des graines, directement dans le gosier puisque sa gorge avait été déchirée, il était presque mourant lui aussi, quelle horreur, c'est parce que j'avais mal à la gorge à force d'avoir chanté tout l'après-midi très fort, je trouve que ma voix est déjà aussi belle que quelques sopranos professionnelles, pas les plus grandes bien sûr mais avec des leçons elle pourrait être fabuleuse, la grande soprano française Nathalie Fournier, représentation unique à Carnegie Hall, avec des extraits des opéras de Verdi, Puccini, Bellini, et aussi des romances de Debussy, comme elle est extraordinaire cette jeune chanteuse, vous connaissez ? Non, j'ai seulement lu les critiques dans les journaux, toutes dithyrambiques. Elle a seulement 19 ans ! C'est pas possible, elle a une voix si mûre ! Elle est ravissante en plus, elle ressemble à un cygne ! Et cette voix de sirène ! Ça vous envoûte, ça vous transporte –

Nathalie Fournier nous a accordé une interview, bien qu'en général elle n'aime pas les journalistes. Elle nous a reçus très tôt le matin et nous a offert le petit déjeuner sur le balcon de son hôtel qui donne sur Central Park. Elle-même n'a pris que du café noir.

— Vous ne mangez jamais le matin, mademoiselle Fournier ?

— Jamais. Et à midi non plus.

— Comment faites-vous pour avoir tant de force dans votre voix ?

— La voix d'une vraie chanteuse, monsieur, c'est son âme. Cela n'a rien à voir avec le corps.

Bravo ! Bravo ! Nathalie Fournier, la sensation de la saison, a eu 3 ovations successives à Carnegie Hall. Elle a accepté avec modestie un bouquet de roses blanches qui lui a été présenté par le maire de New York lui-même.

— On espère que vous reviendrez visiter notre petite ville qui vous accueillera toujours les bras ouverts.

— Merci, monsieur le maire. Serez-vous des nôtres pour le champagne après le concert ?

J'aurais pas dû avaler ce verre de champagne avant le concert, je le sens qui me remonte dans la gorge, c'est M. Thorer qui me l'a proposé et je l'ai trouvé tellement séduisant que j'étais incapable de refuser, on a trinqué ensemble et il m'a regardée dans les yeux, il m'a même dit que j'avais une jolie robe ce soir, évidemment, la seule autre femme dans la pièce à ce moment-là c'était cette pouffiasse qui est maintenant assise au premier rang ; à côté d'elle même maman aurait l'air jolie, je l'ai vue aller droit sur le balcon et se couper une gigantesque part de gâteau comme si de rien n'était, je savais très bien qu'elle se sentait minable de faire ça et qu'elle avait dû rassembler tout son courage pour traverser la pièce avec l'air de dire, après tout j'ai faim et c'est là pour nous les invités, que je le fasse avant ou après ça revient au même ; moi je ferais jamais

jamais jamais une chose comme ça, surtout devant le maître de maison, je peux me contrôler, il m'a dit que j'étais un peu pâle et je lui ai dit c'est parce que je dors mal en ce moment, il a répondu moi aussi j'ai souvent des problèmes de sommeil, je crois que c'était un aveu qu'il aurait pas fait à n'importe qui, je parie qu'il couche même pas avec sa femme, elle est trop vieille, même si elle a l'air mince elle a peut-être des grosses cuisses, on peut pas savoir avec ce genre de robe vieillotte qu'elle porte tout le temps, en tout cas je la trouve pas belle, elle est beaucoup moins belle qu'Anna par exemple, Anna c'est la plus belle femme dans cette pièce et de loin, quand je lui demande comment elle fait pour rester si maigre alors qu'elle mange 10 fois plus que moi, elle me dit que c'est parce qu'elle pense tout le temps à la faim des autres et ça lui fait brû-ler des calories, moi il suffit que je mange une pomme entière au lieu d'une demi-pomme, c'est-à-dire 70 calories au lieu de 35, et je sens tout de suite mon ventre se gonfler, j'arrive à peine à fer-mer mon pantalon, mais je me connais maintenant au moins, parfois au milieu de la nuit je me lève –

Elle descend l'escalier sans faire de bruit, une Lady Macbeth dans sa chemise de nuit blanche en dentelle, elle flotte jusqu'à la cuisine et ouvre un paquet de petits gâteaux, de préférence de ces cigares russes qu'on sert avec le champagne, elle les compte, il y en a 8 par rangée et 3 rangées en tout, il ne fau-drait pas qu'elle mange le tout parce que ça ferait 24, un chiffre réellement redoutable tellement il se subdivise, il suffirait donc qu'elle s'arrête après 7 mais ça laisserait 1 dans la première rangée, alors peut-être 13 mais ça ferait pas exactement la moitié, alors elle continue, elle mange lentement et sans faim, elle ne fait que compter et se demander quel serait le meilleur moment pour s'arrêter, elle pourrait s'arrêter après 17, par exemple, parce que l'après-midi elle a mangé 17 cerises, et la deuxième transgression pourrait ainsi annuler la première ; finalement c'est mieux de les manger tous parce que comme ça elle pourra faire disparaître le paquet et ses parents ne sauront pas, après elle se précipite dans la salle de bains pour se pencher sur le lavabo, c'est mieux que les cabinets parce que l'eau du robinet fait moins de bruit que l'eau de la chasse, souvent elle n'a même pas besoin de s'enfoncer les doigts dans la gorge, ça remonte tout seul, comme maintenant je sens le champagne remonter dans mon gosier, et comme un de ces jours je sentirai le sang gargouiller encore dans mon vagin, sortir par bulles et ruisseler entre mes cuisses : quand je le voudrai bien.

VARIATIO XXVIII

Fatigue
l'esprit erre et ne trouve sur quoi se fixer. Le réel se
dresse devant lui comme un mur lisse et blanchâtre.
Les facultés de l'intelligence se coagulent, les membres s'engourdissent, l'ennui devient palpable et
pesant. Sur le mur du réel s'inscrit, se réinscrit, ce
mot unique : *anachronisme.* La contrainte du silence
serre le public dans ses griffes. Les êtres pensants
ravalent toute parole et attendent que l'épreuve
atteigne sa fin.

Bibi, je te pardonne tout mais désormais épargne-
moi ceci. Tes arguments font pencher la raison
mais ils ne peuvent venir à bout du corps. Le bâil-
lement refoulé s'épand à l'intérieur : à force de
courber l'échine devant le code des bonnes ma-
nières, on a le cœur qui ralentit, les poumons qui
s'affaissent et jusqu'au sexe qui, dépité d'être écrasé
entre les jambes convenablement croisées, s'endort et ne se réveillera plus de la soirée. Je persiste,
malgré tes protestations, à penser que la musique
classique est foncièrement antisexuelle, en d'autres
termes antisociale. Je sais que tu te vexes quand

j'exprime cela sous forme de maxime : musique classique, musique de classe. Mais comment ne pas admettre qu'elle fut conçue, non pas pour épater les bourgeois mais pour les endormir ? Et le sommeil c'est l'ennemi principal. Tu protestes, aussi, quand je bois du café le soir pour pouvoir lire avant de me coucher. Mais il le faut : il faut être vigilant, et à aucun autre moment de la journée je n'ai de temps pour la lecture. Quand je prépare, après dîner, ce breuvage épais et foncé avec la cafetière italienne, et que je m'installe à la table pour renouer contact avec Gramsci, ou Benjamin, ou Adorno, c'est comme si j'étais véritablement en train de dialoguer avec eux dans un café. Petit à petit, je vois les lumières s'éteindre dans les HLM d'en face, je sens que bientôt il n'y aura plus que ma lampe à moi d'allumée, et que ma veille est nécessaire : je ne dois pas m'abandonner à mon tour aux ténèbres de l'ignorance. Du reste, au Siècle des lumières, ce n'est guère avec les adeptes de Bach qu'on aurait pu faire la Révolution française.

Bibi, ne vois-tu pas la mascarade aristocratique qui se déroule ici devant nos yeux ? N'es-tu pas sensible comme moi aux aberrations des codes qui y sont respectés ? Au XXe siècle, en France, seuls les riches avaient le droit d'écouter cette musique-là. Souvent même était-elle composée à la commande du roi, tout comme le théâtre de Molière. Les familles les plus puissantes étaient aussi les familles cultivées. Et la forme "musique de chambre" était admirablement adaptée à leurs exigences : jouir des bonnes choses à l'intérieur des murs des palais et des hôtels ; faire de l'art un phénomène d'élite ; enfermer et privatiser la production culturelle pour mieux la protéger de la corruption du *vulgus*. C'est ainsi que la musique que nous sommes en train d'entendre fut appréciée : par les grandes dames des salons littéraires et leurs amis oisifs, sous des chandeliers et des plafonds peints en or, alors que la grande majorité des Français vivait dans la misère.

Pour toi, cela est secondaire : les conditions économiques de la production de cet art appartiennent au passé, alors que l'art lui-même a survécu jusqu'à nous. Mais ces conditions ne transparaissent-elles pas, fût-ce de manière subliminale, dans les notes mêmes des *Variations Goldberg*, dans leur organisation formelle ?

Pour les personnes qui vivent au XXe siècle, tout retour en arrière ne peut qu'être teint d'une nostalgie aristocratique. D'où le terme d'*anachronisme* : jouer Bach de nos jours, *a fortiori* dans des circonstances identiques à celles où il fut joué voici deux cents ans, représente une fuite devant l'histoire : le refus de tenir compte des progrès du XIXe et du XXe siècle, la volonté de se soustraire à une confrontation directe avec les conflits et les contradictions de notre époque. Seule une musique vivante peut être à la hauteur de cette tâche : dès qu'elle est transcrite elle meurt, elle passe du côté de la réaction, car elle devient du passé indéfiniment ressuscitable.

Je n'aime pas te voir comme ça, subjuguée par ce que tu dénommes le "grand art". J'aime te voir animée, passionnée, parlant au téléphone ou tapant à la machine, réagissant avec indignation aux nouvelles de la radio quand nous prenons le café au petit matin... Ici, c'est comme si tu avais pris la décision de suspendre toute faculté critique. Par rapport aux autres formes culturelles – le cinéma, le théâtre – tu arrives le plus souvent à te distancier, pour employer le terme brechtien, et donc à en écumer les éléments idéologiques. Mais vis-à-vis de la musique, ton enthousiasme me paraît par trop primaire. L'idéologie, à mon sens, n'y est pas moins présente : et, partant, elle est plus insidieuse. Faire valoir des concepts comme "désir" et "plaisir" à cet égard, n'est-ce pas encore participer de l'individualisme petit-bourgeois, qui voudrait nous faire croire que ces prétendus "désirs" sont strictement affaire de goût personnel, et nullement fabriqués par l'appareil idéologique mis en place par le pouvoir ?

En revanche, la musique vivante – de nos jours le jazz, le blues, le pop, le rock et le reggae – suscite réellement le désir des masses, en même temps que, dans un mouvement dialectique, elle est suscitée par lui. Au lieu de cingler les corps dans une rigidité anti-érotique, elle délie les muscles et stimule les rythmes de notre sensualité. Au lieu d'étouffer et d'empêcher la conversation, elle la provoque. Est-ce pur hasard si cette musique a été, dans sa quasi-totalité, la production des masses opprimées de la plus grande puissance capitaliste au monde ?

et si elle a pris son essor précisément pendant les périodes de crise économique ? et si, de nos jours, elle s'étend aux pays sous l'égide néo-colonialiste de cette même superpuissance ? Ces faits ne peuvent être sans retentissement sur la musique elle-même.

Nous sortons écouter du Bach, et nous voilà cloués à nos chaises, épinglés comme des spécimens, alors que quand nous allons dans un concert rock c'est tout de suite l'effervescence ; et je préfère tellement ton corps quand il se démène dans la danse... Malgré tout j'ai accepté de t'accompagner dans ce lieu ; pour moi ce n'est pas dramatique – je suis capable de me discipliner et même de profiter de ce temps mort pour penser à autre chose –, mais il n'aurait pas fallu entraîner Frédéric aussi. Il trépigne sur sa chaise, fume cigarette sur cigarette ; ce monde lui est par trop étranger. Ce n'est pas seulement la musique de Bach, c'est aussi l'attitude de l'assistance ; sa réceptivité passive et neutre. Souviens-toi de ces soirées où il nous a fait visiter La Nouvelle-Orléans : la fraternité entre les Noirs – un phénomène qu'il nous est rarement donné d'observer en France ; leurs corps qui se balançaient la nuit entière aux rythmes ataviques de l'Afrique noire. Ils appelaient Frédéric "Red", là-bas, et tous le connaissaient. Red, parce qu'il a les cheveux roux, comme c'est souvent le cas des enfants métissés. Lui, c'est un authentique produit du XXe siècle : métis, bâtard, et d'autant plus futé à cause de ces impuretés. Un père noir au nom français, Dumont, originaire de La Nouvelle-Orléans, envoyé par les Blancs pour défendre la liberté d'autres Blancs, pendant la Seconde Guerre mondiale. Cinquante pour cent des troupes américaines étaient des hommes de couleur, alors que les Noirs ne constituaient que dix pour cent de la population dans son ensemble. Dumont ne parlait pas un mot de français quand il a fait le Débarquement, mais il est tombé amoureux d'une ouvrière normande. Il l'a rendue enceinte deux jours à peine avant d'être tué par les Boches. Frédéric, son fils, a été élevé par sa mère comme un petit Français. A vingt ans, révolté par la politique raciste de son pays d'adoption à l'égard de l'Algérie, mû par un refus viscéral d'accomplir son service militaire dans ces conditions, il est parti aux Etats-Unis. C'est là qu'a débuté sa carrière fulgurante.

Dans sa musique on entend cette révolte héroïque : les injustices dont souffrent les hommes de sa race en Amérique sont dénoncées à travers son saxophone. Les *blues* de Red sont un cri de colère, un cri de vengeance ; et ce cri-là a été reconnu et repris par les opprimés à travers le monde entier. A Harlem, pas une maison qui ne contienne un de ses disques ; à Johannesburg, pas un adolescent brimé à l'école qui ne siffle entre ses dents un air de Frédéric Dumont ; dans toutes les capitales de l'Europe, la jeunesse afflue pour l'écouter. Sa musique est en effet perpétuellement jeune ; elle a besoin de la fougue et de la force juvéniles ; elle est résolument du côté du café et non de la tisane.

Ici, au contraire, nous sommes d'emblée dans la tisane. Les vieilles valeurs, les vieilles mœurs d'une civilisation qui flageole sur ses jambes. Qu'une société sur le point de s'effondrer cherche à revenir au bon vieux temps, rien de plus prévisible. Le renouvellement d'intérêt pour les instruments périmés comme le clavecin est l'un des aspects de cette tentative désespérée de renverser le cours de l'histoire et de faire obstacle à toute innovation radicale. Mais le vieux temps ne fut pas "bon" : le vieux temps est un cadavre qui ne parvient plus à dissimuler sa pourriture. J'ai envie que toi et moi nous travaillions à faire advenir le temps nouveau, et pour ce faire il faut délaisser les chambres et les musiques de chambre ; il faut être dehors et debout ; il faut être dans la rue.

Bibi, je ne peux guère te confisquer tes disques de Mozart et de Mahler pour les embaumer dans une cave, comme cela a été fait pendant la Révolution culturelle en Chine. Je ne peux qu'espérer que les différentes exigences de ta vie actuelle – notre relation, ton travail au journal – te permettront de briser peu à peu les liens qui te rattachent encore à un passé révolu. Passé lointain, et passé proche aussi : je sais que les souvenirs d'enfance et les amitiés d'adolescence sont pour beaucoup dans ton entêtement à ce sujet. Mais ce sont, là aussi, des anachronismes, et je suis persuadé que tu sauras te débarrasser de leur poids, car je tiens à ce que tu sois libre et légère.

VARIATIO XXIX

Gris
fait exprès de taper du pied à un rythme autre que
celui de la musique, pour manifester son déplaisir.
Je le saurai, que je l'ai entraîné dans l'antre d'opium
de la bourgeoisie. Il refuserait de reconnaître la
beauté d'une fleur, si cette fleur avait été accrochée
au veston d'un homme d'affaires. Pourtant qu'est-ce
qu'elle est belle cette œuvre, elle recèle des richesses
inépuisables ; je pourrais l'écouter mille fois et
chaque fois j'entendrais quelque chose de neuf. Je
ne m'en lasse pas – même si ce plaisir dans la pas-
sivité est un plaisir aliénant. Comme regarder les
sports à la télé, dit Manuel. C'est vrai qu'il y a un
abîme entre la joie que j'ai à écouter de la musique,
et ma totale impuissance à en faire. Depuis toujours. La chorale de l'école, j'avais tellement envie
– "Bibi chante faux, elle nous dérange !" – alors je
me suis tue… J'avais honte. Mais au moins personne ne m'empêchait d'écouter. A quinze ans
j'avais une collection de disques qui valait celle de
bien de mélomanes adultes. Une joie de faire mes
devoirs en écoutant du Stravinski, une joie de

m'habiller accompagnée par Brahms. Je ne savais pas encore que tout cela faisait partie de mon héritage bourgeois. Je deviens provocatrice… la semaine dernière, voyant dans une vitrine une douzaine de coffrets contenant les œuvres complètes de Mozart, j'ai dit à Manuel : "Si j'avais ça, je deviendrais complètement apolitique." Il n'a pas apprécié. C'est effectivement ce qu'il craint le plus : que la discipline militante qu'il m'a inculquée puisse lâcher et que je puisse glisser sur la pente vertigineuse pour retomber dans le bourbier idéologique d'où il m'a tirée.

Manuel. Manny. Mon petit homme. Il y a des choses qui échappent aux carreaux de ta grille. Quand tu m'embrasses les seins, comment penser aux conditions économiques de ce qui se produit là : l'amour ? Mais même sur ça tu voudrais avoir prise : tu écris sur les rapports sexuels sous le capitalisme, tu analyses la phallocratie comme rejeton des valeurs bourgeoises, tu me donnes à lire Engels, *l'Origine de la famille*, et les freudo-marxistes modernes… Manny je voudrais que tu m'aimes avec mes maladresses et mes faiblesses. Que tu cesses de me voir comme une personne "sauvable". Que tu cesses de me traîner dans les concerts rock… Frédéric se fout de tes analyses lui aussi, mais tu n'essaies pas de le convertir, pourquoi ? Parce qu'il *fait* l'histoire, lui, alors que moi je dois l'*apprendre*…

Tu ne sais pas ce qui s'est passé. Oui, moi aussi j'aime la musique de Frédéric, je suis allée seule à un de ses concerts au mois de février ; quand tu étais à Bruxelles pour le colloque sur le pouvoir.

Comme d'habitude j'étais époustouflée par son talent mais... peut-être parce que tu n'étais pas là, que tu ne me parlais pas tout le temps à l'oreille, que tu ne tapais pas du pied – oui, peut-être parce que j'étais seule –, ça a commencé à mal tourner. Tu sais comment c'est quand je me tape dessus. Je suis devenue moins que rien devant ce dieu sur la scène : je me suis dit, je ne sais rien faire, tout ce que je fais est minable, écrire des petits reportages pour un canard gauchiste... Moi je poursuis obstinément mes luttes mesquines, alors que Frédéric transforme le monde devant nos yeux, Frédéric nous apporte le bonheur maintenant, ici ce soir, avec pratiquement rien... Bref je broyais du noir à cent à l'heure, et plus il y avait d'applaudissements plus j'avais envie de me faire sauter la cervelle. A la sortie du concert Frédéric m'a rattrapée dans la rue : "Où tu vas ? Tu es fâchée ? T'as pas aimé ?" Ça m'a étonnée même qu'il me reconnaisse, tellement je me sentais défigurée par mes pensées noires. "Viens, on prend un verre à mon hôtel." Je l'ai suivi, hébétée, je ne sais même plus dans quel hôtel il était cette fois-là, c'était quelque part près de l'Opéra. Il a été incroyablement gentil avec moi, il a vu que ça n'allait pas mais il n'a pas posé de questions. "Viens t'asseoir", et il m'a tendu une cigarette de marijuana.

Je dis toujours non, j'en ai marre de dire non, j'en ai marre de me protéger et d'avoir peur, je veux savoir enfin de quoi j'ai peur, de quoi je me protège, et je dis oui.

On a partagé la cigarette, Frédéric a mis un disque de Manu Dibango et il est allé chercher ses tam-tams. J'étais presque blessée qu'il me délaisse pour la musique, mais en même temps subjuguée par les rythmes compliqués qu'il jouait, absolument sans effort, et qui s'intercalaient dans les rythmes du disque. Peut-être que j'étais déjà partie, en tout cas ça m'a semblé miraculeux, et encore une fois j'étais navrée de ne rien pouvoir faire de musical. Ensuite la marijuana a produit sur moi son effet habituel : paranoïa aiguë. Je me suis sentie comme un tas, planquée là sur le sofa d'un type sublime, une espèce d'ange noir qui avait la magie de la musique au bout des doigts... Et tout de suite après je me suis réprimandée : bien sûr que tu en es capable, arrête de pleurnicher ! – et je me suis forcée à tapoter sur le bras du sofa en prenant un air de ravissement distrait. Frédéric s'en est aperçu, il m'a passé les tam-tams sans un mot et il est allé chercher son tambour rwandais. J'étais paralysée devant l'instrument, je n'arrivais pas à dominer ma terreur, je me disais : "Maintenant il va enfin s'apercevoir que je suis nulle." Au prix d'un grand effort, j'ai réussi à taper deux trois fois sur chacun des cylindres. Frédéric s'est accroupi à côté pour me montrer comment faire : "Ecoute, Bibi bébé, laisse-toi aller. *Ecoute* simplement la musique. Tu l'entends ? C'est ça. Puis tu fais : un, deux, trois-quatre. Un, deux, trois-quatre. C'est ça." J'ai essayé, je me suis appliquée, comme une petite fille s'applique à apprendre les tables de multiplication, je me suis concentrée intensément mais j'arrivais de moins en moins souvent à tomber juste. Chaque mouvement de mes mains me semblait monstrueux : je ne pouvais qu'ajouter de la laideur, là où il y avait eu de la beauté, et cela me semblait résumer ma vie. J'ai posé les tam-tams par terre et je me suis tenue rigide sur le sofa. Je voulais ne penser à rien, je voulais que tout s'arrête, que tout mouvement cesse autour de moi pour que je n'aie plus à souffrir de ma rigidité.

Frédéric s'est levé de nouveau, il a mis un bras autour de mes épaules

il a senti à quel point elles étaient nouées et il m'a massé le cou

jamais je n'avais senti une telle patience dans les mains d'un homme

j'ai pensé : ce sont les mêmes doigts qui bougent à la vitesse lumière sur son saxophone

j'ai eu envie de me blottir contre lui, de disparaître en lui

il m'a fait l'amour avec tant de joie et de tendresse que les larmes me coulaient sur le visage et il me parlait tout le temps, il me disait Bibi tu es une femme extraordinaire, Bibi tu as des seins si ronds, si fermes, Bibi ton con est si chaud, si succulent, ça me rend fou, Bibi tu peux pas savoir comme tu me rends heureux

tu ne me parles jamais Manuel

j'ai passé la nuit dans son lit, dans ses bras, je me suis réveillée à côté de son corps brun foncé sur le blanc du drap, il avait la peau très lisse, comme tendue sur les muscles là j'avais pu, là j'étais arrivée à me laisser aller au rythme, là j'avais enfin su –

– peut-être à cause de la drogue ? Cette pensée m'a glacée. Et puis celle-ci, pire encore : "C'était déjà *hier soir*." Cela n'arriverait plus jamais. Frédéric c'était un grand ami à toi, il voyageait tout le temps, ce n'était pas possible d'avoir une "histoire d'amour" avec lui

il aime toutes les femmes, il fait l'amour avec toutes les femmes, il adore faire l'amour, c'est une chose qui se sait

rien ne collait plus, j'ai cru que j'allais devenir folle, à le regarder dormir entre mes bras et à penser que cette nuit unique si importante pour moi ne se reproduirait plus

ça ne *pouvait* pas arriver, tu l'avais prouvé dans un de tes articles, n'est-ce pas, il n'y a *pas* de sexualité heureuse possible en régime capitaliste

c'était arrivé et il fallait que je le gomme tout de suite, que je fasse comme si ça n'avait pas eu lieu, il fallait que je ne t'en parle pas

non pas parce que tu aurais été jaloux, au contraire : parce que tu n'aurais pas été jaloux, et ton absence de jalousie aurait nié l'importance de ce qui m'était arrivé

j'allais me lever et rentrer chez nous et retrouver nos murs couverts d'affiches de toutes les manifs et de tous les concerts rock auxquels nous avons assisté, j'allais redevenir la journaliste tendue, anxieuse et culpabilisée ; l'après-midi même j'avais rendez-vous avec des femmes qui faisaient la grève chez Michelin, le soir je serais en train de taper mon article quand tu rentrerais de Bruxelles...

C'est effectivement comme ça que tout s'est passé.

Frédéric nous a commandé par téléphone des croissants pour le petit déjeuner, je m'étranglais à les avaler. Il était gai, il chantonnait et faisait des pas de danse en préparant le café ; pour moi, chaque chose que je voyais était un souvenir mort-né, et je les enterrais au fur et à mesure.

Frédéric m'a embrassée longuement à la porte. C'est moi qui ai dit, la première, au revoir.

Le revoir, c'est ce soir. Le revoir me trouble moins que je n'aurais cru. Peut-être parce qu'il est arrivé en retard, alors que l'invitation était pour huit heures précises. Peut-être parce qu'il s'ennuie aussi fort que toi quand il écoute du Bach, même si les raisons de son ennui sont différentes. Je suis assise entre vous et ça me désespère de voir que vous réussissez à gâcher mon plaisir. Mais je sais que c'est de ma faute ; c'est parce que, si j'ose dire, je suis aussi assise entre deux chaises. Je ne peux m'asseoir sur aucune de vos certitudes : ni la tienne, pureté et rigueur révolutionnaires, ni la sienne, le talent artistique. Comment défendre devant vous la musique classique, alors que je ne peux vous l'imposer ni du point de vue théorique ni du point de vue pratique ? Je sais quelles seront vos railleries tout à l'heure, je sais que je ne ferai pas d'objection quand vous proposerez de partir tout de suite pour aller au Palace. Je sais que je vous suivrai parce que je vous aime tous les deux : toi Manuel le Blanc, toi Frédéric le Noir, je vous aime du fond de ma grisaille, je vous aime et vous déteste, je vous suivrai.

VARIATIO XXX

Faim

sandwichs faits pour vieilles Anglaises sans une dent dans la bouche, je les ai vus. La croûte coupée, et entre les feuilles d'ouate on a étalé une substance inidentifiable. Ils appellent ça un sandwich ! Aux USA au moins on sait ce que c'est un sandwich. Ça s'appelle un héros. C'est un pain bien gros bien croustillant dans lequel on empile toutes sortes de choses : jambon, fromage, tomate, laitue, cornichon. Quand on y mord on sait qu'on est en train de manger, et pas de prendre la messe. J'ai faim, bon Dieu. Connaissent pas les héros, ici en France. Sauf les vrais, bien entendu. Ceux-là, ils ont besoin d'en mettre partout. Qui c'est le héros dans cette pièce ? ils se le demandent. Est-ce que c'est M. le Maître de Maison ? ou Mme la Musicienne ? ou Seigneur le Professeur Untel ? Sa Majesté le Directeur du *Temps* ? Continuent à être royalistes jusqu'à l'os, les Français. Chaque fois qu'ils font la révolution, des petits princes se tapent sur la tête pour devenir le nouveau roi. De Gaulle, voilà le roi des rois. Maintenant ils se tapent sur la tête pour savoir qui est le plus gaulliste. Thorer, voilà un héros. Maintenant ses disciples se tapent sur la tête pour savoir qui est le plus thorérien. Jésus-Christ c'est pareil. Ce qu'ils disent ? "C'est moi, le fils à papa ! – Non c'est moi ! – C'est moi qui aime la patrie ! – Non c'est moi ! – C'est moi que Dieu a choisi ! – Non c'est moi !" Tout le monde a besoin d'un papa.

Moi aussi j'aurais voulu. Mais un vrai. Sauf que justement il jouait les héros et il y a laissé sa peau. C'est beau les cimetières américains en Normandie. Quelques hectares de croix blanches toutes alignées. Comme à l'armée : dans les rangs ! En dessous c'est des bouillies, mais au-dessus c'est propre. Les petits héros de de Gaulle. Merci papa.

Moi aussi je suis un héros. Le roi nègre. Ils aiment ça, les Français. Sont fiers de moi parce que je suis célèbre et français. Ça prouve qu'ils sont pas racistes. Si je joue bien, ça prouve que la France est un grand pays musical. Si je baise bien, ça prouve que les Français sont de bons amants. Conneries. Parce qu'en plus l'idée d'une star noire les excite. Parce qu'en plus le noir pour eux c'est le sexe interdit. Ça leur fait penser aux jarretelles, aux bottes des nazis, à la nuit, aux bas des putes, à des choses cachées. Regarde la robe de Mme la Musicienne, toute noire sur sa peau blanche, c'est le frisson du Mal. "Regarde, maman ! Il est tout noir ! – Chut ! Il faut pas montrer les gens du doigt."......................
Tu dois bien être blanc en dessous de tout ça, non ? Tu fais ça pour nous agacer. Au fond, tu pourrais enlever ta peau et tu serais exactement comme nous

autres. Viens, on va t'écorcher un peu pour voir. Au fond, t'es malheureux d'être noir comme ça tout le temps. C'est pour ça les *blues*, vous êtes malheureux d'être si noirs.. en anglais on dit *black and blue*, noir et bleu, quand quelqu'un a été tabassé. Au fond, ça se voit pas, un bleu sur la peau noire. Hein ? Un œil au beurre noir non plus. Si on veut voir que t'as mal, faut que ça saigne... Tiens ! c'est rouge…

Red. Red Dumont. *The name in lights.* Broadway. L.A. Hong-kong. Berlin. Saute un peu par-dessus les frontières. Montre qu'on est les meilleurs. Va chanter pour la France. Va boxer pour l'Afrique. Va jouer au tennis pour l'Angleterre. Va jouer au ping-pong pour l'Oncle Sam. *Go, Yankees !* Allez les Verts ! Allez Oppenheimer, encore un petit effort et les Amerloques auront la bombe avant les Russes !

Pourquoi je continue. Les foules qui viennent et qui reviennent. La tempête d'applaudissements. De l'autre côté de la rampe, je vois rien. Je connais personne. On me paie. Je m'enrichis. Aux USA mes frères continuent de se faire descendre dans la rue. Pourquoi mes frères ? Pas parce qu'on a le même papa. Les seuls frères c'est les hommes qui ont pas de papa.

Les Noirs américains, ils bouffent des racines, des abats, des pissenlits, du lard, des poissons innommables, et ils appellent ça *soul food*, la nourriture de l'âme. Pour les Blancs c'est poétique, ça veut dire

que les Noirs sont profonds et mystérieux et roman-
tiques. Ils vont dans les restaurants noirs le dimanche
à midi pour manger du *soul food* et ils s'en félici-
tent : "Très bon ! Pas cher !" Pour les Noirs ça veut
dire que puisque ça nourrit pas le corps il faut bien
que ça nourrisse quelque chose.

J'ai faim nom de Dieu, j'ai l'estomac dans les
talons, j'espère que ce sera bientôt terminé.

Puis les Noirs se mettent à fabriquer des héros eux
aussi, des petits rois. En Afrique, en Amérique : "On
est les plus grands, on est les plus forts." Peuvent plus
s'en passer. Vous allez voir que la République cen-
trafricaine est une grande puissance. Vous allez voir
qu'Idi Amin Dada est l'empereur de l'univers. Vous
allez voir que Muhammed Ali peut écrabouiller
n'importe quel Blanc comme un insecte. "Je suis le
plus beau, je suis le plus fort. – Non c'est moi !"

Regarde, ma bite est plus longue que la tienne.
De deux centimètres au moins. C'est pas vrai c'est
parce que tu tires dessus. Lui, là, il en a une comme
un taureau. C'est quelque chose ! Bah ! C'est moi
qui vous bats tous. Non c'est moi !

Regarde, M. l'Ouvrier modèle a posé cinq mille
soixante-trois briques dans la journée !

Regarde Mme Dumont a cousu trente-sept pantalons !

— C'est pas aussi bien qu'avant, Frédéric, autrefois je pouvais faire quarante, mais maintenant ma
vue a baissé.

— Pourquoi tu veux coudre quarante pantalons,
maman, au lieu de trente-sept ?

— Il y a une jeune nouvelle, tu devrais la voir, c'est extraordinaire, parfois elle en arrive à cinquante dans la journée !

— Mais, maman, pourquoi c'est bien ? Elle peut pas mettre cinquante pantalons à la fois ?

— Toi tu fais ton travail le mieux possible, nous aussi.

"Hey Red, what's it like being famous ?"

"Hey Red, got any gold bricks lying around ?"

"Hey Red, whaddaya wanna hang out with us hicks for now that you made it ?"

Maintenant que je l'ai fait. C'est quoi que j'ai fait ? C'est comme les mecs qui disent : Je l'ai eue, cette gonzesse. C'est quoi qu'ils ont eu ? J'ai fait quoi exactement ? Du fric. Mmouai.

Le fric, j'en vois jamais la couleur. J'aime trop acheter des cadeaux. Tout à l'heure je vais acheter quelque chose pour Bibi, j'ai envie de lui faire plaisir. Elle a son corps de bois ce soir, comme elle dit. Je vais les emmener dîner dans une grande brasserie, après ces amuse-gueule à l'hirondelle. Manny va rouspéter pendant cinq minutes – "Tu dépenses le salaire d'un OS en une soirée !" –, mais il finira bien par avaler. La choucroute qui entre empêchera les conneries de sortir. Arrosée d'un petit vin d'Alsace –

— Maman, qu'est-ce que je pourrais t'acheter ?

— Mais j'ai besoin de rien.

— Maman, je voudrais t'offrir quelque chose, c'est pas une question de besoin, de quoi aurais-tu envie ?

— De rien, tu devrais mettre ton argent à la banque, on sait jamais. Moi je suis heureuse comme ça.

Elle est heureuse, nom de Dieu. Il lui reste seulement deux ans à trimer avant la retraite, c'est pour ça qu'elle est heureuse.

— Maman, on va te déménager dans le Midi à ce moment-là, dans une belle maison au bord de la mer. Tu auras chaud pour la première fois de ta vie.

— Je suis bien ici, c'est tout ce que je connais. C'est pour toi, les voyages.

Londres. Francfort. New Orleans. Rio. Sydney. Niamey. Tokyo. Les salles, les avions, les femmes, les chambres d'hôtel toujours différentes ; il y a que ma bite et mon saxo qui restent les mêmes. Pourquoi je continue alors.

"Qu'est-ce qui fait courir Frédéric Dumont ?" Une page entière dans *le Temps*. L'histoire de ma vie. Comment j'ai trouvé mes racines aux USA. Comment j'ai commencé à jouer quand j'ai découvert le *blues*, j'avais ça dans le sang à cause de mon papa. Quelles conneries. Tout ce que j'ai découvert aux USA, c'est qu'il y a pas de racines. C'est qu'on est quatre milliards de zombis à la recherche de nos racines. C'est que les enracinés sont des fous dangereux. Le *blues*, c'est la seule façon que j'aie pour raconter tout ça. Le *blues*, ça me laisse parler à tout le monde. Mais je l'ai pas dans le sang. J'ai horreur de la messe. "Ceci est mon corps, ceci est mon sang." C'est du cannibalisme. "Ceci est mon *blues*" aussi. Les foules affamées qui me bouffent. Les foules qui ont besoin de *soul food* parce qu'elles se sont déjà empiffrées de *body food*. Pendant que les autres foules, celles qui viennent jamais au concert, continuent à crever de faim. C'est de la merde.

— J'ai faim, n'empêche, ce soir j'ai très très faim. Neuf heures et demie passées. Tout le monde commence à jeter des coups d'œil vers le balcon, pour voir si leurs petits sandwichs blancs se sont pas envolés comme des papillons.

Tiens, la lune s'est levée, elle est pleine. Je suis sûr que c'était calculé. La magie noire de la dame blanche. Elle se dit la même chose que moi. Peut-être que ce soir la magie va marcher, peut-être que la musique va faire que les gens s'aiment. Ça peut arriver... on sait jamais. *Once in a blue moon*, comme disent les Amerloques. C'est-à-dire : jamais.

As-tu bientôt fini, madame la Musicienne ? Je crève de faim.

ARIA

Basso continuo

Ils reconnaissent : c'est enfin le thème qui revient.
Moi, je n'ai plus besoin des taches noires ; Adrienne
peut se reposer ; il n'y a plus de pages à tourner.
Tous, nous serons soulagés. Nous aurons accompli
notre devoir. Nous aurons fait quelque chose de
notre soirée. Nous pourrons dire qu'au lieu de lire
un livre ou d'aller voir un film, nous avons écouté
un concert. Ou donné, selon les cas. Nous aurons
eu la patience et la civilité de tenir jusqu'à la fin.
Nous aurons entendu toutes les variations, dans
leur ordre invariable. Personne n'aura pleuré, personne n'aura éclaté de rire, personne n'aura pro-
féré d'obscénités à haute voix. Nous pourrons nous
en féliciter.

Je n'ai plus du tout besoin de m'occuper de mes
boudins blancs. Ils sauront se débrouiller maintenant, je leur fais confiance. Le cerveau continuera
d'émettre ses signaux, discrètement, machinalement ; les bras continueront de les transmettre. J'ai
mal au dos. J'ai horriblement mal au dos et aux
épaules. Et je n'ai pas, pas encore, le droit de me

masser, ni de me secouer, ni de me mettre au lit. Presque. Mais pas encore. La contrainte persiste, la catastrophe est toujours possible, jusqu'au tout dernier moment. Il ne faut jamais l'oublier.

Ai-je bien joué ? Je n'en ai aucune idée. Les notes sont venues, je les ai tirées les unes après les autres de l'instrument, je leur ai permis de sortir, j'ai essayé de ne pas trop leur faire violence. Et quand elles sont venues, elles ont trimbalé avec elles tout un univers : non seulement Bach mais une kyrielle de compositeurs, non seulement Goldberg mais une théorie d'insomniaques, non seulement le XVIIIe siècle mais tous les âges passés et à venir. J'avais peur parfois, en jouant avec tout cela, de ne pas le maîtriser : n'était-ce pas plus fort que moi ? J'avais peur de tout laisser tomber. Mais je voulais prendre le risque.

Les personnes dans l'assistance sont des êtres que j'ai aimés et que j'aime. Je voulais qu'ils me permettent de prendre ce risque, le temps de… Oui, le temps de. Ils me l'ont permis. Ils ont assisté au concert et ils m'ont réellement assistée : ils m'ont *aidée*. Je leur suis reconnaissante. C'est tout. Comme on dit après une soirée de grandes discussions : Bien sûr, on n'a pas résolu les problèmes du monde, mais enfin –

Enfin. Je suis assez heureuse du déroulement de ce rituel. Il m'a fait comprendre des choses. Non pas des gens, mais des choses à propos des gens. Ce n'est pas rien. Ce n'est pas tout, mais ce n'est pas rien non plus. Le tout ou rien est un faux dilemme.

Comme la porte ouverte ou fermée. Comme, aussi, le pianoforte opposé à l'instrument idéal. J'avais réussi à réduire les possibilités dynamiques de la musique dans le passage du piano au clavecin. Je voulais quelque chose de plus étroit encore. Je voulais que l'horizon mélodique se rétrécisse aussi, qu'il se referme autour de *moi*. Le *mi*. Un instrument où il n'y aurait que des *me*. "Moi", et personne d'autre.

Tout cela, c'est moi qui l'ai imaginé, en effet. Sauf qu'il n'y a pas de moi qui soit *que* moi. Chaque variation, c'est moi qui l'ai composée. Avec les notes de Bach. Avec les gens dans cette salle. Toute seule dans ma tête. Je me suis sûrement trompée à plusieurs reprises. En réalité, je n'avais que des idées assez vagues au début. Je ne savais même pas qui connaissait qui, ce qui s'était passé d'abord, ce qui s'était passé ensuite, comment les événements s'étaient enchevêtrés… J'ai *prétendu* parler pour trente personnes. Non pas dans le sens français de la prétention, mais dans celui, anglais, du faire semblant. Il m'a semblé entendre distinctement deux ou trois fausses notes : mes doigts ont dû glisser, et j'ai eu peur que, du coup, tout le lustre ne soit fracassé. Mais je sentais très fort que la lune continuait de monter dans le ciel ; c'était donc certain que le temps passait, et qu'on était toujours là en train de vieillir ensemble. J'ai poursuivi. Et on m'a laissée poursuivre. Tout au plus y avait-il quelques soupirs ; et, au loin, les voitures qui roulaient dans Paris. Pour moi, cela fait partie d'un concert : je n'ai jamais joué dans cette pièce sans entendre la ville au-dehors. Et Bach non plus n'a jamais composé dans le silence.

J'ai très mal au dos, c'est vrai. Mais je me sens changée. Vers le milieu de la pièce, imperceptible-ment, le sens du concert lui-même a commencé à se transformer. Par instants – c'était très éphémère, mais quand même –, par instants, j'ai cru entendre de la musique. *La musique que moi j'étais en train de jouer.* Ça ne m'était jamais arrivé aupara-vant. Il y avait comme des bribes de sons, des mo-dulations ; ça se passait à la fois dans mon corps et dans l'air autour de moi. De la musique ! Cela m'a rendue très joyeuse. Je ne pourrai jamais leur avouer cela : que jusqu'ici, je n'avais jamais entendu de la musique. Comme elle est belle ! Et comment se fait-il que j'aie été si longue à la découvrir ? Com-ment se fait-il que tout le monde ait compris plus vite que moi ?

Je sens que l'instrument est endolori aussi. Quand on joue du clavecin pendant longtemps, les notes commencent à tirer sur le bémol, petit à petit. Les aiguës souffrent plus vite que les basses : elles sont attachées aux cordes les plus courtes, et quand les cordes se distendent ne serait-ce que d'un milli-mètre, ça s'entend. Ce n'est pas audible pour tout le monde, mais, quand même, ça s'entend. J'ai un peu malmené les pauvres touches dans quelques variations, pour faire sortir ce dont j'avais besoin – j'ai été surprise par ma propre violence –, elles ont raison d'être fatiguées, et moi aussi. Je suis toujours en accord, pour le moment, avec mon instrument.

Finalement, ce n'était pas un instrument de torture.

La roue a fait un tour complet et j'en suis sortie indemne. Quelques courbatures, ce n'est pas un prix trop fort à payer pour ce qu'il m'a été donné de comprendre. Songe d'une nuit d'été, comme je l'avais dit à Bernald : mais, contre toute attente, c'est sur moi-même que le sort a été jeté. Il se lèvera bientôt. Mais si les images du rêve se dissipent au réveil, elles ne disparaissent jamais complètement. Elles restent dans l'air, comme les bribes de musique que j'ai entendues : je pourrai y revenir. Ou ne pas y revenir. Je les aurai animées pendant un temps, je pourrai les réanimer une autre fois. Ou en animer d'autres. Une nuit on a besoin de Bach, une nuit on a besoin de sommeil. "Une nuit", cela n'existe pas. C'est simplement quelque chose entre le tout et le rien.

J'entends des remous dans la salle. A peine. Les gens commencent à se préparer pour le réveil. Certains auront fait de beaux rêves et d'autres des cauchemars. Tous pressentent qu'il y a une fin. Et tous soupçonnent qu'en fait, le Temps n'existe pas : qu'il n'y a que *les* temps, et que chacun a une fin. C'est pour cela qu'ils sont mal à l'aise. Ils se tordent sur leur chaise, dans leur lit, dans leur corps. Chacun regarde les autres pour voir s'ils sont arrivés à la même conclusion. Maintenant il va falloir passer à autre chose. Changer de rite. Changer de registre. Tirer un autre jeu. Apprendre à quelqu'un d'autre : comment on fait pour jouer du clavecin, pour déboucher une bouteille de champagne, pour parler, pour aimer, pour cesser de parler et pour cesser d'aimer. Un jour, je cesserai de jouer du clavecin. Je le sais. Mais pas encore. Je viens juste d'entendre sa musique pour la première fois ! Elle me plaît énormément, et j'en suis si heureuse…

Je sens que mes pensées ressemblent de plus en plus à celles d'une enfant. Je bredouille, je me répète, je ne sais plus exactement ce que je suis en train de dire. C'est parce que je suis fatiguée. Mais elles sont faites pour ça, les *Variations Goldberg* ; c'est très bien de se sentir fatiguée à la fin. J'ai toujours eu peur de la fatigue, mais ce soir elle me semble merveilleuse. Quand je m'arrêterai, je ne sais pas si ce sera pour me réveiller ou pour m'endormir. La musique est un entre-deux. Au fond, je ne sais pas si je vais m'arrêter… Peut-être que je vais recommencer aussitôt, avec la *Variatio I*. Juste au moment où ils seront persuadés qu'on n'a plus rien à leur raconter, on leur jouerait ce tour-là. Hein, clavecin ? Qu'est-ce que tu en dis ? On donne encore un grand coup à la roue ? C'est reparti pour un tour ? Peut-être qu'on raconterait des histoires complètement différentes. Sûrement, même. Mais non, c'est très bien de s'arrêter aussi. Je suis en accord avec toi. On va pousser un très grand soupir, tous les deux. Pour ce soir cela suffit ; oui c'est la fin maintenant.

DISTRIBUTION

Aria	*Basso continuo*	Liliane Kulainn	13
Variatio I	*Ombrage*	Adrienne	20
II	*Vents*	Jean	27
III	*Ecarlate*	Myrna	34
IV	*Soupirs*	Elève de Liliane	41
V	*Joual*	Dominique	49
VI	*Souvenirs*	Pierre	57
VII	*Infini*	Hélène	65
VIII	*Viole*	Menuisier	73
IX	*Filiation*	Mme Fournier	81
X	*Perte*	Ecrivain	89
XI	*Acide*	Christine	97
XII	*Paix*	Anonyme	104
XIII	*Insomnie*	Franz Blau	111
XIV	*Tumeur*	Olga	118
XV	*Roche*	Bernard Thorer	125
XVI	*Profit*	Sylvère Laurent	132
XVII	*Souci*	Irène Serino	139
XVIII	*Syncope*	Jules Serino	146
XIX	*Grâce*	Thomas	153
XX	*Figer*	Anna	161
XXI	*Vert*	Kenneth Kulainn	169
XXII	*Etrangeté*	Reynaud	177
XXIII	*Jongler*	Etudiante de Bernald	185
XXIV	*Fumée*	Simon Freeson	193
XXV	*Coupée*	Viviane	200
XXVI	*Faux*	Claude	208
XXVII	*Mesure*	Nathalie Fournier	215
XXVIII	*Fatigue*	Manuel	223
XXIX	*Gris*	Bibi	230
XXX	*Faim*	Frédéric Dumont	238
Aria	*Basso continuo*	Liliane Kulainn	245

BABEL

Extrait du catalogue

76. YI MUNYŎL
Notre héros défiguré / L'Oiseau aux ailes d'or / L'Hiver,
cette année-là

77. MA JIAN
La Mendiante de Shigatze

78. NINA BERBEROVA
Récits de l'exil, t. II.

79. MAURICE BARTHÉLEMY
De Léopold à Constance, Wolfgang Amadeus

80. HARRY MULISCH
L'Attentat

81. ZSOLT HARSÁNYI
La vie de Liszt est un roman

82. ÉPICURE
Maximes

83. PAUL AUSTER
La Musique du hasard

84. DON DELILLO
Chien galeux

85. ALEXANDRE POUCHKINE
Le Convive de pierre et autres scènes dramatiques

86. JOHAN DAISNE
L'Homme au crâne rasé

87. FÉDOR DOSTOÏEVSKI
Le Rêve d'un homme ridicule

88. BAPTISTE-MARREY
Elvira

89. NORBERT ROULAND
Rome, démocratie impossible ?

90. ANDRÉA DE NERCIAT
Le Doctorat impromptu

91. CAMILLO BOITO
Senso

92. FÉDOR DOSTOÏEVSKI
La Femme d'un autre et le mari sous le lit

93. MKRTITCH ARMEN
La Fontaine d'Héghnar

94. RUSSELL BANKS
Continents à la dérive

95. MIRCEA ELIADE
Le Roman de l'adolescent myope

96. PLINIO MARTINI
Le Fond du sac

97. PHILIPPE BEAUSSANT
Vous avez dit baroque ?

98. HERMANN HESSE
Les Contes merveilleux

99. JOSEPH-HENRI ROSNY AÎNÉ
La Guerre du feu

100. THORKILD HANSEN
La Mort en Arabie

COÉDITION ACTES SUD – LABOR – L'AIRE